かやのき先生の

基本情報技術者

教室準拠

ドリル

書き込み式

令和
07
年

栢木 厚
監修

技術評論社

JN016809

本書の使い方

●基本情報教室と完全リンク

本書の各テーマは，かやのき先生の基本情報技術者教室（以降，テキストと呼ぶ）と，完全にリンクしており，セットで使うことが前提となっています。

●本書の構成

各テーマは，大きく分けると「重要ポイントのまとめ」と，「問題演習」の２つの部分からなります。

・重要ポイントのまとめ

まず該当するテキストのページをしっかり読み，できればテキストを見ないで記入するとよいでしょう。書きながら覚えるタイプの方は，見ながら記入してもよいでしょう。

答えはすぐ下に掲載してありますが，目に入ってしまって気になるという方は，しおりなどで隠しながら取り組んで下さい。

「知っ得情報」は，テキストではスペースの都合で割愛した用語や，今後出題が予想される用語も載せています。合わせて覚えるとよいでしょう。

・問題演習

「プチ問題」は，過去問題を解く前の準備体操のような問題です。ハードルを低くして解きやすくしてあります。また，○×式で簡単に答えられるタイプのものも用意しています。

「確認問題」では，テキストと重複していない問題を掲載しています。

● 独自情報も書き込もう

手を動かすことはものを覚える一番いい方法です。空きスペースにも独自情報をどんどん書き込みましょう。スペースが足りなければ，紙を貼り足してもよいし，大判のふせんを使用する方法もあります。どんどん書き込んで，あなただけのオリジナルな重要ポイントまとめ集にしあげましょう。

目次

第 1 章

コンピュータ構成要素

[科目 A]

1 01 情報の表現

情報量の単位と表せる情報量

コンピュータで扱う最小の情報量の単位を①_____といい，2進数1桁に相当します。また，8ビットを集めた単位が②_____であり，2進数8桁に相当します。

"10001111"は1 ③_____（8 ④_____）の情報量であり，このような「1」と「0」の羅列を⑤_____と呼ぶこともあります。

2進数nビットでは，⑥____種類の情報を表現できます。

答え	①ビット	②バイト	③バイト	④ビット
	⑤ビットパターン	⑥ 2^n		

接頭語

大きな数値を表す接頭語には，10^3を表す①____，10^6を表す②____，10^9を表す③____，10^{12}を表す④____があります。

小さな数値を表す接頭語には，10^{-3}を表す⑤____，10^{-6}を表す⑥____，10^{-9}を表す⑦____，10^{-12}を表す⑧____があります。

答え	①k	②M	③G	④T	⑤m	⑥μ	⑦n	⑧p

文字コード

　文字コードは，文字などに割り振られた①＿＿＿＿＿＿のことです。

　英数字，記号，制御文字のみの②＿＿＿＿＿コードや，それに漢字を加えた③＿＿＿＿＿＿コード，UnixやLinuxで使われる④＿＿＿＿，世界の文字の多くを一つの体系にした⑤＿＿＿＿＿があります。

答え	①識別番号　　②ASCII　　③シフトJIS　　④EUC ⑤Unicode

プチ問題

・8MBをビットに直すと，①＿＿＿＿×10⁶ビットである。

・4ビットは，2の②＿＿＿乗個の情報が表せる。

・2キロバイトをビットに直すと，

　2×③＿＿＿＿×④＿＿＿＿＝⑤＿＿＿＿ビットである。

・A〜Eまでの5文字を表すには，

　⑥＿＿＿ビットが必要。この場合は，2の⑥＿＿＿乗＝8種類までの文字が表せる。

答え	①64　　②4　　③1000　　④8　　⑤16000　　⑥3

コンピュータの構成

コンピュータの構成

コンピュータのハードウェアは，①＿＿＿＿装置，②＿＿＿＿装置，③＿＿＿＿装置，④＿＿＿＿装置，⑤＿＿＿＿装置で構成されています。

制御装置と演算装置をまとめて⑥＿＿＿＿といいます。「中央処理装置」と訳されます。

これらの装置は，機械として物理的に存在する⑦＿＿＿＿＿＿＿＿＿です。これに対してプログラムは記憶装置に記憶された「1」「0」の信号として存在する⑧＿＿＿＿＿＿＿＿＿です。

現在のコンピュータは主記憶に記憶されたプログラムを順に取り出し，解読・実行する⑨＿＿＿＿＿＿＿＿＿＿です。

答え	①制御	②演算	③記憶
	④入力	⑤出力	⑥ CPU
	⑦ハードウェア	⑧ソフトウェア	⑨プログラム記憶方式

1
03 CPU

CPU

CPUは，コンピュータの頭脳にあたり，①＿＿＿＿＿＿＿とも呼ばれています。

各回路の同期をとる信号が②＿＿＿＿＿＿です。この信号の高低のサイクルが1秒間に繰り返される回数を③＿＿＿＿＿＿＿といいます。単位として，④＿＿＿＿が使われます。

CPU内部のクロック周波数は⑤＿＿＿＿＿＿，CPUと主記憶などの周辺回路を結ぶ伝送路のクロック周波数は⑥＿＿＿＿＿＿（システムクロック）といいます。

⑦＿＿＿＿は，CPUや主記憶，キャッシュメモリなどで，お互いがデータの送受信をするための伝送路です。

⑧＿＿＿＿＿が広く，⑨＿＿＿＿＿＿が大きいほど，高速にデータを送受信することができます。

答え	①プロセッサ ②クロック信号 ③クロック周波数 ④Hz ⑤内部クロック ⑥外部クロック ⑦バス ⑧バス幅 ⑨クロック周波数

CPU の動作原理

⚓ レジスタ

　①_____は，CPUに内蔵されている高速な記憶装置です。②_____は，実行する命令を記憶します。③_____は，次に実行する命令のアドレスを記憶します。④_____ともいいます。⑤_____や⑥_____は，基準となるアドレスを記憶します。

　⑦_____は，演算対象や演算結果を格納します。⑧_____は，演算対象や演算結果に加え様々な目的に使います。

　命令語は，⑨_____と⑩_____（オペランド部）で構成されます。

答え	①レジスタ	②命令レジスタ	③プログラムカウンタ
	④命令アドレスレジスタ	⑤指標レジスタ	⑥基底レジスタ
	⑦アキュムレータ	⑧汎用レジスタ	⑨命令部
	⑩アドレス部		

⚓ 命令実行サイクル

命令は次のサイクルで実行されます。

命令の取り出し → 命令の解読 → ①_____ → ②_____ → 命令の実行→演算結果の格納

命令の取り出しは③_____ともいいます。

答え	①実効アドレスの計算　②オペランドの取り出し　③命令フェッチ

アドレス指定方式

　アドレス指定方式は，命令のアドレス部の値から処理対象のデータが格納されている実効アドレスを求める方式です。

アドレス 指定方式	実効アドレスの求め方
①_____	命令のアドレス部の値はデータそのもの
直接	アドレス部の値 ⇒ 実効アドレス
②_____	アドレス部の値が示すアドレスに格納される値 ⇒ 実効アドレス
相対	アドレス部の値＋プログラムカウンタの値 ⇒ 実効アドレス
③_____	アドレス部の値＋④_____レジスタの値 ⇒ 実効アドレス
基底	アドレス部の値＋基底レジスタの値 ⇒ 実効アドレス

答え	①即値	②間接	③指標	④指標

CPUの高速化

①＿＿＿＿＿＿＿＿＿＿は，複数の命令を１ステージずつずらしながら並行処理することで，高速化を図る方式です。分岐命令に対処するために，実行される確率の高い方を予測する②＿＿＿＿＿＿や，予測した分岐先の命令を開始して結果を保持し，分岐先が正しければその結果を利用する③＿＿＿＿＿などの技術が使われています。

④＿＿＿＿＿＿＿＿＿＿＿方式は，パイプライン方式を更に細分化することで，高速化を図る方式です。複数のパイプラインを使用して，同時に複数の命令を実行することで，高速化を図る方式が⑤＿＿＿＿＿＿＿＿＿＿＿です。

CPUの命令セットアーキテクチャとして，複雑な命令を多く持つ⑥＿＿＿＿＿と，パイプライン処理に向く⑦＿＿＿＿＿があります。

⑧＿＿＿＿＿＿プロセッサは，一つのCPU内に複数のコアを備えたものです。

⑨＿＿＿＿＿＿＿＿＿は，演算処理を行っていない回路への電源を遮断する省電力技術です。

⑩＿＿＿＿＿は，3Dの画像処理を高速に実行する画像処理装置です。

答え	①パイプライン方式	②分岐予測
	③投機実行	④スーパーパイプライン
	⑤スーパースカラ方式	⑥CISC
	⑦RISC	⑧マルチコア
	⑨パワーゲーティング	⑩GPU

半導体メモリ

💀 RAMとROM

RAMは，電源を切ると記憶していた内容は①_____特性 (②_____) があります。

DRAMは，③_____で構成されます。価格は④____く，⑤_____に使われます。

SRAMは，⑥_____で構成されます。価格は⑦____く，⑧_____に使われます。

ROMは，電源を切ると記憶していた内容は⑨_____特性 (⑩_____) があります。

答え	①消える	②揮発性	③コンデンサ	④安
	⑤主記憶	⑥フリップフロップ回路	⑦高	
	⑧キャッシュメモリ	⑨消えない	⑩不揮発性	

💀 キャッシュメモリ

キャッシュメモリは，①_____と②_____の間に配置してアクセスの高速化を図る役割があります。

多レベルの構造になっており，CPUは③_____キャッシュ，④_____キャッシュ，⑤_____の順にアクセスします。

アクセスするデータがキャッシュメモリに存在する確率を⑥_____といい，アクセスするデータが主記憶に存在する確率を⑦_____といいます。

実効アクセス時間は，以下の式で求められます。

ヒット率×⑧＿＿＿＿＿＿＿＿＿＿のアクセス時間＋

(1－ヒット率)×⑨＿＿＿＿＿＿のアクセス時間

キャッシュメモリと主記憶の両方を書き込む方式を⑩＿＿＿＿＿＿＿＿＿＿，先にキャッシュメモリだけ書き込み，主記憶にはデータがキャッシュメモリを追い出されるときに書き込む方式を⑪＿＿＿＿＿＿＿＿＿＿＿といいます。

答え	① CPU	②主記憶	③ 1 次	④ 2 次
	⑤主記憶	⑥ヒット率	⑦ NFP	⑧キャッシュメモリ
	⑨主記憶	⑩ライトスルー方式	⑪ライトバック方式	

🐛 メモリインタリーブ

メモリインタリーブは，①＿＿＿＿＿＿を複数の区画（バンク）に分け，連続するアドレスに並列アクセスすることで，②＿＿＿＿＿＿＿＿＿＿を図る方式です。

③＿＿＿＿＿＿メモリは，エラー訂正機能をもったメモリです。

④＿＿＿＿＿＿＿符号で誤りを訂正します。

答え	①主記憶	②アクセスの高速化	③ ECC	④ハミング

🐛 プチ問題

主記憶，レジスタ，SSD，HDD，1次キャッシュ・2次キャッシュを，アクセス速度の速い順に並べると，

①＿＿＿＿＿＿　1次キャッシュ　2次キャッシュ

②＿＿＿＿＿＿　③＿＿＿＿＿＿　HDDの順です。

答え	①レジスタ	②主記憶	③ SSD

補助記憶装置

補助記憶装置

CPUが直接読み書きできるのは①_____上にあるプログラムや
データだけです。②_____装置は主記憶に比べてアクセス速度は
③____く，容量は④_____く，⑤_____性の特徴があります。

答え	①主記憶	②補助記憶	③遅	④大き	⑤不揮発

磁気ディスク装置

磁気ディスク装置は，①_____ともいい，②_____を塗った円盤
状のディスクにデータを記録する装置です。③_____方式を採用し
ています。

磁気ディスク装置のアクセス時間は，④_____時間，⑤_____
__時間，⑥_____時間の和で求まります。

⑦_____は，データの追加・削除の繰返しで起こる
データの断片化のことです。解消する操作が⑧_____です。

答え	① HDD	②磁性体	③セクタ
	④位置決め	⑤回転待ち	⑥データ転送
	⑦フラグメンテーション	⑧デフラグ	

フラッシュメモリ

フラッシュメモリは，電気的に全部または一部分を消去して内容を書き直せる①_____メモリです。代表的なものに，②_____やSDカードなどがあります。

③_____は，フラッシュメモリを用いた，磁気ディスク装置の代わりとなる記憶媒体です。衝撃に④____く，消費電力が⑤_____く，アクセス速度が⑥____いなどの特徴があります。

⑦_____は，データの書き込みや消去を分散させ記憶媒体の寿命を伸ばす技術です。

答え	①半導体	②USBメモリ	③SSD	④強
	⑤小さ	⑥速	⑦ウェアレベリング	

光ディスク

光ディスクは，①_____を使ってデータを読み書きする媒体で，CD，DVD，②_____などがあります。

答え	①レーザ光	②BD

プチ問題

・磁気ディスクのアクセス時間は，回転速度を上げるか位置決め時間を短縮すると①____くなる。
・SDカードの上位機種として，2TBまで記録できる②_____カードがある。

答え	①短	②SDXC

入出力装置

入力装置

　①＿＿＿＿＿＿＿＿＿＿＿＿＿＿＿は，位置情報を入力する装置です。
　商品を管理するPOSシステムでは②＿＿＿＿＿＿＿＿が使われていま
す。○○Payなどで使われるのは③＿＿＿＿＿＿＿で，より多くの情報
が格納でき，④＿＿＿＿＿＿＿＿＿があります。

答え	①ポインティングデバイス　②JANコード　③QRコード ④エラー訂正機能

ICタグ

　①＿＿＿＿＿＿＿は，極小のICチップにアンテナを組み合わせた電子荷
札です。電磁波を用いて情報を②＿＿＿＿＿で読み取ります。ICタグと
も呼ばれています。国際規格が③＿＿＿＿＿です。

答え	①RFID　②非接触　③NFC

出力装置

　光の透過性の変化を利用した出力装置である①＿＿＿＿＿＿＿＿＿＿
に加え，最近は，自ら発光する有機化合物を利用する②＿＿＿＿＿＿
＿＿＿＿を使用する製品も増えています。
　ディスプレイの解像度は横×縦の③＿＿＿＿＿＿で表します。
　④＿＿＿＿＿＿＿は，ディスプレイに表示される内容を一時的に記録する
ために使用される専用のメモリです。

答え	①液晶ディスプレイ	②有機 EL ディスプレイ
	③ドット数	④ VRAM

プリンタ

①_____はコピー機と同じ原理で，レーザ光と静電気を使って，トナーを定着させることで印字します。

②_____は，印字ヘッドのノズルからインクを吹き付けることで印字します。

③_____は，印字ヘッドの多数のピンでインクリボンに衝撃を与えることで印字します。

プリンタの解像度は1インチあたりのドット数で表し，単位は④____です。この数値が大きいほど解像度が高くなります。

⑤_____は，3次元のデータを用いて，樹脂や金属などの材料を層状に少しずつ積み重ねることで立体物を造形します。

答え	①レーザプリンタ	②インクジェットプリンタ
	③ドットインパクトプリンタ	④ dpi
	⑤ 3D プリンタ	

プチ問題

解像度600dpiのスキャナで画像を読み込み，解像度300dpiのプリンタで印刷すると，印刷される画像は元の何倍の面積？

300dpiのプリンタで600dpiの画像を印刷するには，縦横それぞれ①_____÷②_____＝③____倍の長さが必要になる。

面積で考えると，④____倍の面積ということになる。

答え	① 600	② 300	③ 2	④ 4

確認問題 A ▶ 平成31年度春期　問11　　　正解率▶中　　**計算**

　　96dpiのディスプレイに12ポイントの文字をビットマップで表示したい。正方フォントの縦は何ドットになるか。ここで，1ポイントは1／72インチとする。

ア　8　　　　　イ　9　　　　　ウ　12　　　　エ　16

要点解説 1ポイント1／72インチなので，12ポイントでは1／6インチ。ここで，96dpiは，1インチ当たり96ドットなので，16ドットになります。

解答

問題A：エ

1 09 入出力インタフェース

🫘 インタフェース

　①_____は，PCとハードディスク，プリンタなどの様々な周辺機器を接続するための標準的なインタフェースで，データを1ビット単位で順番に伝送する②_____です。

　USBのType-A，Bでは両端のコネクタ形状は異なりますが，③_____は同じになっています。

　④_____は，PCの電源を入れたままケーブルの脱着ができることです。⑤_____は，USBのケーブルを介して，必要な電力をPC本体から供給する方式です。

　⑥_____は，映像，音声，制御信号を，1本のケーブルで入出力できるAV機器向けのインタフェースです。

　⑦_____は，電波を利用したインタフェースです。半径数m〜数十m程度の範囲で通信できます。

　省電力の⑧_____規格もあります。

　⑨_____も電波を利用したインタフェースです。電波の届く範囲は狭く，通信速度も最大で250kbpsと遅いですが，低コスト・低消費電力が特徴です。

　⑩_____は，LANより狭いIT機器同士のネットワークです。

答え	① USB	②シリアルインタフェース	③ Type-C
	④ホットプラグ	⑤バスパワー	⑥ HDMI
	⑦ Bluetooth	⑧ BLE	⑨ Zigbee
	⑩ PAN		

第2章

ソフトウェアと
マルチメディア

〔科目A〕

2 01 ソフトウェア

ソフトウェアの種類

　①＿＿＿は，ハードウェアやコンピュータを管理・制御するソフトウェアです。②＿＿＿＿＿＿＿＿＿＿とも呼ばれます。ジョブ管理・タスク管理・記憶管理・ファイル管理などの機能があります。

　さらに，統一的なインタフェースや共通の基本機能を提供するソフトウェアである③＿＿＿＿＿＿＿＿があります。

　④＿＿＿＿＿＿は，アプリケーションの機能を外部から利用するための仕組みです。

　⑤＿＿＿＿＿＿＿＿＿＿は，PCに接続した周辺機器を制御するソフトウェアです。プラグを挿すだけで必要な設定をしてくれる機能を⑥＿＿＿＿＿＿＿＿＿＿＿といいます。

答え	① OS	②基本ソフトウェア	③ミドルウェア
	④ API	⑤デバイスドライバ	⑥プラグアンドプレイ

OSS

①_____ (OSS) は，②_____を公開
しているソフトウェアです。無保証を原則として，誰でも自由にソー
スコードを改変し再頒布することで，ソフトウェアを発展させていこ
うという考えがあります。

「頒布先となる個人やグループ・利用分野を③_____しない」，「再配
布で④_____を要求しない」，「⑤_____に限定したライ
センスにしない」などの条件があります。

代表的なものとして，OSでは⑥_____，Webサーバでは
⑦_____，WWWブラウザではFirefox，統合開発環境では
⑧_____があります。

⑨_____は，ソースコードを改変して再配布するときは，元の
ソフトウェアと同じ条件で再配布となるライセンスです。

⑩_____は，コピーレフト型のライセンスです。

⑪_____は，非コピーレフト型なので，改良して再配布の際にソー
スコードを公開する必要はありません。

答え	①オープンソースソフトウェア	②ソースコード	③限定
	④追加ライセンス	⑤特定の製品	⑥ Linux
	⑦ Apache	⑧ Eclipse	⑨コピーレフト	⑩ GPL
	⑪ BSD		

仕事の単位

①_____は，利用者から見た仕事の単位です。利用者がコンピュータに実行を依頼する単一のプログラムや，バッチ処理などの一連のプログラム群のことです。

これに対して，②_____（プロセス）は，OSから見た仕事の単位で，コンピュータに投入されたジョブはいくつかの③_____に分解されます。

④_____管理の一つに，ジョブのスケジューリングがあります。

⑤_____は，主記憶と低速な入出力装置とのデータ転送を，補助記憶装置を介して行うことです。

答え	①ジョブ　②タスク　③タスク　④ジョブ　⑤スプーリング

タスク管理

タスク管理では，タスクの生成から消滅までを，①_____状態・②_____状態・③_____状態の三つの状態で管理しながら，CPUを有効活用しています。

①_____状態のタスクから実行するタスクを選択して，そのタスクにCPUの使用権を割り当てると実行状態へ遷移します。このCPUの割当てを④_____といいます。割当て方法には，各タスクに均等に一定時間を割り当てる⑤_____や，優先度の高いタスクから割り当てる⑥_____などがあります。

⑦＿＿＿＿＿＿は，複数のタスクにCPUを順番に割り当て，タスクが同時に実行されているように見せて，CPUを有効活用する方式です。⑧＿＿＿＿＿＿＿＿とも呼ばれています。

タスクの実行方式で主流なのは，OSがCPUを管理する⑨＿＿＿＿＿＿＿＿方式です。

⑩＿＿＿＿＿＿は，タスクの中で並行処理が可能な部分を，複数の処理単位に分解して，並行して処理する機能です。

2 ソフトウェアとマルチメディア

答え	①実行可能	②実行	③待ち
	④ディスパッチ	⑤ラウンドロビン方式	⑥優先度順方式
	⑦マルチタスク	⑧マルチプログラミング	⑨プリエンプティブ
	⑩マルチスレッド		

割込み

①＿＿＿＿は，実行中のプログラムを一時中断し，必要とする別の処理に切り替えることです。

不正な命令が原因の②＿＿＿＿＿＿割込み，プログラムがOSに入出力を要求したときに起こる③＿＿＿＿割込みなど，実行中のプログラムが原因で起こるのが④＿＿＿＿＿＿です。これに対して，オペレータの介入（⑤＿＿＿＿＿＿割込み）や，入出力が完了したときや電源異常（⑥＿＿＿＿＿＿＿割込み）など，実行中のプログラム以外が原因で起こるのが⑦＿＿＿＿＿＿です。

M/M/1の待ち行列モデルでは，客の到着や客ごとの処理時間は⑧＿＿＿＿＿として考えます。

答え	①割込み	②プログラム	③ SVC
	④内部割込み	⑤コンソール	⑥機械チェック
	⑦外部割込み	⑧ランダム	

記憶管理

①_____方式は，プログラムを主記憶に読み込んでおき，CPUが順次読み出し実行する方式です。プログラムは②_____に保存されていますが，実行時には③_____上に配置し，実行が終われば④_____上から消去されます。

| 答え | ①プログラム記憶 | ②補助記憶 | ③主記憶 | ④主記憶 |

実記憶管理

①_____は，主記憶を複数の区画に分割して管理する方式です。細切れの未使用領域が発生する現象を②_____といいます。細切れの未使用領域を連続した一つの領域にまとめる③_____を行い，再び利用可能にします。

④_____は，複数プログラムが配置できない場合，実行中のプログラムのうち優先度の低いものを一時中断して磁気ディスクに退避し，優先度の高いものを主記憶に配置します。

⑤_____は，あらかじめプログラムを同時に実行しない幾つかの単位（セグメント）に分割しておき，実行時に必要な部分だけを主記憶に配置して実行する方式です。

⑥_____は，主記憶の領域が解放されず，主記憶中の使用可能な領域が減少してしまう現象です。解消するためには，不要になった領域を解放する⑦_____を行います。

答え	①区画方式	②フラグメンテーション
	③メモリコンパクション	④スワッピング方式
	⑤オーバレイ方式	⑥メモリリーク
	⑦ガーベジコレクション	

🐾 仮想記憶方式

仮想記憶方式は，補助記憶の一部を実記憶のように使用します。プログラムを①_____空間に格納しておき，実行時に必要なプログラムやデータを②_____に配置して実行する方式です。見かけ上の主記憶の容量が③_____します。

仮想アドレスと実アドレスの変換は，④_____で行います。

仮想記憶管理の一つに⑤_____があります。主記憶とプログラムを固定長のページに分割して管理する方式です。

実行するページが主記憶に存在しないときは，⑥_____と呼ばれる割込みが発生しますが，これが多発すると，処理効率が急激に低下する⑦_____が発生します。

ページング方式で不要なページを決定する方式としては，最も古くから主記憶に存在するページを置き換える⑧_____方式，最後に参照されてから最も経過時間が長いページを置き換える⑨_____方式，参照回数が最も少ないページを置き換える⑩_____方式があります。

答え	①仮想記憶	②実記憶	③増加
	④DAT	⑤ページング方式	⑥ページフォルト
	⑦スラッシング	⑧FIFO	⑨LRU ⑩LFU

ファイル管理

　補助記憶では，プログラムやデータは①＿＿＿＿＿単位で格納され，さらに②＿＿＿＿＿＿＿を用いて管理されています。Windowsやmac OSでは，ディレクトリは③＿＿＿＿＿といいます。

　ディレクトリは階層構造になっていて，最上位にあるディレクトリを④＿＿＿＿ディレクトリといいます。また，⑤＿＿＿＿＿ディレクトリは，現在，操作対象であるディレクトリです。

　⑥＿＿＿＿ディレクトリを基点に，目的となるディレクトリやファイルまでの経路を指定する絶対パスと，⑦＿＿＿＿＿ディレクトリを基点に，目的となるディレクトリやファイルまでの経路を指定する相対パスがあります。

答え	①ファイル	②ディレクトリ	③フォルダ	④ルート
	⑤カレント	⑥ルート	⑦カレント	

バックアップ

　バックアップの方法には，磁気ディスクに保存されている全てのデータをバックアップする①＿＿＿＿バックアップや，前回のフルバックアップ以降に変更されたデータをバックアップする②＿＿＿＿バックアップ，前回のバックアップ以降に変更されたデータをバックアップする③＿＿＿＿バックアップがあります。

答え	①フル	②差分	③増分

知っ得情報 — 相対パスと絶対パスの使い分け

　Webページは，一つのHTMLファイルだけで構成されていることはあまりなく，画像ファイルや他のHTMLファイルなど，多くの関連するファイルがリンクされています。

　相対パスは，同じコンピュータの中にあるファイルしか示すことができませんが，入れ子構造になっているディレクトリとファイルの位置関係を崩さなければ，参照先のディレクトリをまるごと移動してもリンクの修正は簡単です。

　自分のWebサイトの中のリンクであれば，相対パスを使います。他のWebサイトへのリンクなら，絶対パスを使って「http:// 〜」のように書きます。

2

ソフトウェアとマルチメディア

マルチメディア

画像・動画

データの圧縮には，圧縮した画像を完全に復元できる①_____圧縮方式と，完全に復元できない②_____圧縮方式があります。

静止画のファイル形式のうち，可逆圧縮で，24ビットフルカラー対応なのは③_____です。また，非可逆圧縮で写真などに使われるのは④_____です。

動画のファイル形式のうち，ワンセグ放送などで用いられて規格化されているのが⑤_____です。

⑥_____は，MPEG1の音声圧縮アルゴリズムを使う形式です。

画像データには，ピクセルの集まりで画像を表現する⑦_____データと，座標の位置や線分の長さなどを演算で表現する⑧_____データがあります。

⑨_____は，写真に埋め込まれるメタデータです。

⑩_____は，図形オブジェクトをXMLで記述したものです。

答え	①可逆	②非可逆	③PNG	④JPEG
	⑤H.264/MPEG-4AVC	⑥MP3	⑦ラスタ	⑧ベクタ
	⑨Exif	⑩SVG		

CG

次のような技術が使われています。

アンチエイリアシング	①_____を目立たなくする
②_____	表面に柄や模様などを貼り付ける
③_____	表面に影を付け凸凹感を出す
シェーディング	物体の表面に④_____
レイトレーシング	⑤_____の反射や透過をシミュレート
⑥_____	ウィンドウ内の見える部分だけ描画
⑦_____	変形の中間に補う画像を作成
⑧_____	計算によって映像化
⑨_____	立体表現のための基本的な要素
⑩_____	人間や動物の自然な動きを取り込む
⑪_____	中身の詰まった固形物として表現
ワイヤーフレーム	頂点と頂点をつなぐ⑫____で表現
⑬_____	面や曲面の集まりとして表現
⑭_____	裏側で見えていない線を描画しない
⑮_____	物体をだ円体の集合としてモデル化
ラジオシティ	物体同士の⑯_____も考慮

答え ①ジャギー　②テクスチャマッピング　③バンプマッピング　④影付け　⑤光線　⑥クリッピング　⑦モーフィング　⑧レンダリング　⑨ポリゴン　⑩モーションキャプチャ　⑪ソリッドモデル　⑫線　⑬サーフェスモデル　⑭隠線消去　⑮メタボール　⑯相互反射

ᘰ CGの応用

①_____は，仮想の空間に入り込んだような効果を生み出す技術です。また，②_____は，現実の情景をコンピュータに取り込み，仮想の情報を合成して映し出す技術です。

③_____は現実と仮想を双方向に体験できる技術です。

④_____は，仮想空間でアバターを通して交流する技術です。

答え	①VR	②AR	③MR	④メタバース

第 3 章

基礎理論
〔科目 A〕

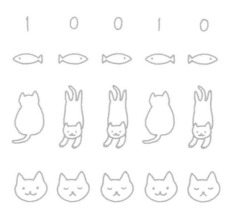

3 01 基数変換

基数

①____進数は，②____と③____の2種類の数字を使って，1の次が一つ桁上がりします。

④____進数は，0から⑤____までの8種類の数字を使って，7の次が一つ桁上がりします。

⑥_____進数は，0から9までの数字とA，B，C，D，E，Fを使って，⑦____の次が一つ桁上がりします。

⑧_____は，各桁の重み付けの基本となる数です。

⑨_____は，ある進数で表現されている数値を別の進数で表現し直すことです。

答え	①2　　　②0　　　③1　　　④8　　　⑤7
	⑥16　　　⑦F　　　⑧基数　　　⑨基数変換

プチ問題

・2進数の重み表で，下段に10進数での数値をいれよう。

2^6	2^5	2^4	2^3	2^2	2^1	2^0	2^{-1}	2^{-2}
64	①__	②__	③__	4	2	④__	0.5	⑤____

答え	①32　　②16　　③8　　④1　　⑤0.25

・2進数100.01を10進数にしてみよう。

2進数	1	0	0	.	0	1
2進数の重み	4	2	①__		0.5	②____
掛けて足す	③__+	④__+	0+		⑤__+	⑥____

＝⑦_____

答え	①1	②0.25	③4	④0	⑤0	⑥0.25	⑦4.25

・10進数5.75を2進数にしてみよう。今度は，2進数の重みから先に記入しよう。

2進数	①__	②__	③__	.	④__	⑤__
2進数の重み	4	2	⑥__		0.5	⑦____
掛けて足す	⑧__+	⑨__+	1+		⑩____+	⑪____

＝5.75

答え	①1	②0	③1	④1	⑤1	⑥1	⑦0.25
	⑧4	⑨0	⑩0.5	⑪0.25			

補数と固定小数点

🐾 補数

1と0しか使えないコンピュータの内部で，①_____を表現する方法の一つとして，補数があります。

N進数には「②_____の補数」と「③____の補数」があり，「ある数」に「④_____の補数」を補うと，与えられた桁数の最大値となり，「ある数」に「⑤____の補数」を補うと，与えられた桁数の次の桁に桁上がりします。

2進数で1の補数を作るには，ビットを⑥_____させます。

2進数で2の補数を作るには，1の補数に⑦____を加えます。

答え	①負数　　②N－1　　③N　　④N－1　　⑤N　　⑥反転　⑦1

🐱 もっと詳しく ◀ nビットで表現できる範囲（2の補数表現）

① 2進数nビットでは，2^n通り表現できます。

② 正数と負数のグループに2等分するので，それぞれ$2^n \div 2 = 2^{n-1}$通り表現できます。

③ ただし，0が正数のグループに入るので，
表現できる範囲は，$-2^{n-1} \sim 2^{n-1}-1$となります。

固定小数点

固定小数点は，①_____の位置を決められた場所に固定して表現する形式です。整数型として扱う場合は，最右端の②____側に小数点があります。

また，負数を扱う場合は，最左端ビットを③_____ビットとした2の補数表現を用います。

答え　①小数点　　②右　　③符号

プチ問題

・6ビットの2進数「100101」の1の補数，2の補数を求めよう。

2進数	1	0	0	1	0	1
1の補数	0	①____	1	②____	1	③____
2の補数	0	④____	1	⑤____	1	⑥____

答え　①1　②0　③0　④1　⑤0　⑥1

・固定小数点表示で，負数を2の補数で表す。4ビットで表現できる整数の範囲を，10進数で表す。

4ビットの最大値は①_____。これは10進数では②____

4ビットの最小値は③_____。これは10進数では④____

表現できる範囲は，⑤_____

答え　①0111　②7　③1000　④−8　⑤−8〜7

浮動小数点

浮動小数点

　浮動小数点は，①_____を扱う場合に使用する形式です。大きい数や小さい数を固定小数点より②_____ビット数で表現できます。

　③_____と指数部を調整する操作が④_____です。

答え	①実数	②少ない	③仮数部	④正規化

プチ問題

10進数5.5を次の形式で8ビットに正規化してみよう。

S	E		M	

S：1ビット，仮数部の符号（0：正，1：負）

E：3ビット，指数部（2を基数とし，負数は2の補数表現）

M：4ビット，仮数部，2進数，絶対値で表現，「0.M」の形式

10進数5.5は，2進数では①_____×2の0乗

「0.M」の形式に調整すると②_____×2の③____乗

指数部を2進数で表現すると④_____

まとめると⑤_____

答え	①101.1	②1011	③3	④011	⑤00111011

誤差

誤差

　数値を指定された①＿＿＿＿＿＿で表現しているために，真の値と表現する値との間に差が発生します。これを誤差といいます。

　②＿＿＿＿＿＿誤差は，演算結果がコンピュータの表現できる範囲を超えることで発生する誤差です。表現できる範囲を超えることを③＿＿＿＿＿＿＿＿といいます。浮動小数点では限りなく0に近づいて表現しきれなくなり発生する④＿＿＿＿＿＿＿があります。

　⑤＿＿＿＿誤差は，指定された桁数で演算結果を表すために，切捨て・切上げ・四捨五入などを行うことで発生する誤差です。

　⑥＿＿＿＿＿誤差は，絶対値がほぼ等しい数値の間で，同符号の減算や異符号の加算をしたときに，有効桁数が減ることで発生する誤差です。

　⑦＿＿＿＿＿＿誤差は，絶対値の差が非常に大きい数値の間で加減算を行ったときに，絶対値の小さい数値が計算結果に反映されないことで発生する誤差です。

　⑧＿＿＿＿＿誤差は，浮動小数点数の計算処理の打ち切りを，指定した規則で行うことで発生する誤差です。

　測定値がどの桁まで意味があるのかを⑨＿＿＿＿＿といいます。

答え	①ビット数　②桁あふれ　③オーバフロー　④アンダフロー ⑤丸め　⑥桁落ち　⑦情報落ち　⑧打切り ⑨有効桁

3 05 シフト演算

シフト演算

左右にビットをずらして（シフト），①_____や②_____の演算をすることをシフト演算といいます。

論理シフトは，符号を考慮③_____シフト演算です。論理シフトでは，左シフト・右シフトともあふれたビットは④_____，空いたビットには⑤____が入ります。

算術シフトは，符号を考慮⑥_____シフト演算です。左シフトと右シフトは，空いたビットの取り扱い方が異なります。

算術左シフトの符号ビットはそのままの位置にとどまります。あふれたビットは捨てられ，空いたビットには⑦____が入ります。

算術右シフトの符号ビットはそのままの位置にとどまります。あふれたビットは捨てられ，空いたビットには⑧_____と同じビットが入ります。

答え	①乗算　②除算　③しない　④捨てられ　⑤0　⑥する ⑦0　⑧符号ビット

3 06 論理演算

論理演算

　論理演算は,「①＿＿＿と②＿＿＿」または「③＿＿＿と④＿＿＿」のように, 2値のうちいずれか一方の値を持つデータ間で行われる演算です。

　論理演算を実際に行う電子回路が⑤＿＿＿＿＿＿で, ⑥＿＿＿＿記号で図式化したり, 入力の状態とそのときの出力の状態を表にまとめた⑦＿＿＿＿＿＿で表現したりします。⑧＿＿＿＿で考えると理解しやすくなります。

答え	①真　　②偽　　③1　　④0　　⑤論理回路
	⑥ MIL　⑦真理値表　⑧ベン図

主な演算

　①＿＿＿＿＿（②＿＿＿＿）は, 入力(A, B)の少なくとも一方が1であれば, 出力(A＋B)は1となる演算です。

　③＿＿＿＿（④＿＿＿＿）は, 入力(A, B)の両方が1であれば, 出力(A・B)は1となる演算です。

　⑤＿＿＿＿（⑥＿＿＿＿）は, 入力(A)が0であれば出力($\overline{A}$)は1, 入力(A)が1であれば出力($\overline{A}$)は0になる演算です。

答え	①論理和　②OR　③論理積　④AND　⑤否定　⑥NOT

💪 演算の組合せ

　①＿＿＿＿＿＿＿＿＿（②＿＿＿＿＿または③＿＿＿＿＿）は，入力（A，B）が異なれば，出力（A ⊕ B）は1となる演算です。

　④＿＿＿＿＿＿＿（⑤＿＿＿＿＿）は，論理和と否定を組み合わせ，NOT（A OR B）という意味の演算です。

　⑥＿＿＿＿＿＿＿（⑦＿＿＿＿＿＿）は，論理積と否定を組み合せ，NOT（A AND B）という意味の演算です。

　⑧＿＿＿＿＿は，正しい（真）/正しくない（偽）のどちらかに決まる文です。

答え	①排他的論理和　②EOR　③XOR　④否定論理和 ⑤NOR　⑥否定論理積　⑦NAND　⑧命題

💪 ビット演算

　「元のビット列」と「特定のビット列（①＿＿＿＿＿＿＿＿＿）」との間でビット演算を行い，部分的にビットを取り出したり，反転させたりできます。ビットを取り出すには，取り出したいビットと②＿＿＿で③＿＿＿＿＿をとります。ビットを反転させるには，反転させたいビットと④＿＿＿で⑤＿＿＿＿＿＿＿をとります。

答え	①マスクパターン　②1　③論理積　④1　⑤排他的論理和

論理演算の法則

・ ド・モルガンの法則

$$\overline{A \cdot B} = \underset{①}{\underline{\hspace{4cm}}}$$

$$\overline{A + B} = \underset{②}{\underline{\hspace{4cm}}}$$

・ 論理演算の法則

$$A \cdot A = \underset{③}{\underline{\hspace{1.5cm}}}$$

$$A + A = \underset{④}{\underline{\hspace{1.5cm}}}$$

$$\overline{\overline{A}} = \underset{⑤}{\underline{\hspace{1.5cm}}}$$

$$A \cdot (B + C) = \underset{⑥}{\underline{\hspace{4cm}}}$$

$$A + (B \cdot C) = \underset{⑦}{\underline{\hspace{4cm}}}$$

答え	① $\overline{A} + \overline{B}$ ② $\overline{A} \cdot \overline{B}$ ③ A ④ A ⑤ A
	⑥ $(A \cdot B) + (A \cdot C)$ ⑦ $(A + B) \cdot (A + C)$

プチ問題

ビット列「001011」の，下位2ビットを反転させるには，どのような演算をすればよい？

ビットパターン「$\underset{①}{\underline{\hspace{3cm}}}$」と$\underset{②}{\underline{\hspace{3cm}}}$をとる

答え	① 000011 ② 排他的論理和

半加算器と全加算器

加算器

①＿＿＿進数の加算を行う回路を加算器といいます。

②＿＿＿＿＿＿は，二つの2進数を加算して，同桁の値（S）と桁上がり（C）を出力する加算器です。③＿＿＿＿＿＿＿と④＿＿＿＿＿の組合せによって実現しています。⑤＿＿＿＿桁で用いられます。

⑥＿＿＿＿＿＿は，上位桁への桁上がり（C）だけでなく，下位桁からの桁上がり（C'）も考慮した加算器です。⑦＿＿＿＿＿＿と⑧＿＿＿＿＿の組合せによって実現します。

答え	①2	②半加算器	③排他的論理和	④論理積
	⑤最下位	⑥全加算器	⑦半加算器	⑧論理和

プチ問題

1桁の2進数X，Yの加算結果（S）と桁上がり（C）を出力する半加算器の真理値表を書いてみよう。

$$\begin{array}{r} X \\ +\quad Y \\ \hline C \quad S \end{array}$$

X	Y	C	S
0	0	0	0
0	1	①＿＿	②＿＿
1	0	0	1
1	1	③＿＿	④＿＿

答え	①0	②1	③1	④0

計測と制御

アナログとデジタル

　連続的に変化する情報を①＿＿＿＿＿＿データといい，これを細かく区切って「0」と「1」に置き換えた不連続な情報を②＿＿＿＿＿＿データといいます。

　③＿＿＿＿＿＿は，アナログデータをデジタルデータに変換することです。これを行うと，データの加工や検索がしやすくなり，④＿＿＿＿＿に強く，データの⑤＿＿＿＿が起こりにくくなりますが，⑥＿＿＿＿が発生することもあります。

　⑦＿＿＿＿＿＿は，デジタルデータをアナログデータに変換することです。

答え	①アナログ　　②デジタル　　③A/D 変換　　④ノイズ　　⑤劣化　　⑥誤差　　⑦D/A 変換

PCM伝送方式

　PCM伝送方式は，①＿＿＿＿などのアナログ信号をデジタル信号に変換する方式です。

　まず時間的に連続したアナログ信号の波形を，一定の時間間隔で測定する②＿＿＿＿＿，測定した信号を決められた範囲内の最も近い値に割り当てる③＿＿＿＿＿，さらに2進数のデジタル符号に変換する④＿＿＿＿＿の順に変換します。

答え	①音声　　②標本化　　③量子化　　④符号化

制御技術

①_____制御は，出力結果を測定して，コンピュータが判断し，修正動作を行う制御です。また，入力を予測して前もって必要な修正動作を行う②_____制御や，事前に定められた順序または条件に従って，制御の各段階を逐次進める③_____制御などもあります。

　制御には，アナログ電気信号をデジタル信号に変える④_____，物理量を検出して電気信号に変える⑤_____，電気信号を力学的な運動に変える⑥_____，微小な電気信号を増幅する⑦_____などを用います。

　⑧_____は，物体の変形を検出します。⑨_____は，角速度や傾きを検出します。⑩_____制御は，LEDの明るさなどをデジタル信号で制御する方式です。

答え	①フィードバック　②フィードフォワード　③シーケンス ④A/Dコンバータ　⑤センサ　⑥アクチュエータ ⑦アンプ　⑧ひずみゲージ　⑨ジャイロセンサ ⑩PWM

クロック信号と電力量

　信号の電圧が高くなる点が①_____，低くなるところが②_____です。電圧を2値に変換する際，ある電圧より高い電圧を1に，低い電圧を0とするのが③____論理，その逆が④____論理です。

　電力量は⑤_____で表します。

答え	①立上り　②立下り　③正　④負　⑤Wh

オートマトン

　オートマトンは，①_____の状態と②_____によって，出力が決定される機械をモデル化したものです。初期状態からいくつかの状態を遷移し，最終的に受理状態になるものを③_____といいます。状態の遷移を図にしたものが④_____，表にしたものが状態遷移表です。

答え	①現在	②入力	③有限オートマトン	④状態遷移図

確認問題 A　▸平成19年度秋期　問10　　正解率 ▸ 低

　次の状態遷移表をもつシステムの状態がS1であるときに，信号をt1，t2，t3，t4，t1，t2，t3，t4の順に入力すると，最後の状態はどれになるか。ここで，空欄は状態が変化しないことを表す。

状態＼信号	S1	S2	S3	S4
t1		S3		
t2	S3		S2	
t3			S4	S1
t4		S1		S2

ア　S1　　　　　イ　S2　　　　　ウ　S3　　　　　エ　S4

要点解説 (S1) → t1 →(S1)→ t2→(S3)→ t3→(S4)→ t4 →(S2)→ t1 →(S3)→
t2→(S2)→ t3→(S2)→ t4→(S1)

解答

問題A：ア

AI

AIは，人が行うような学習・①_____・予測・②_____などの知的な活動を，コンピュータにさせる取組みやその技術のことです。

③_____は，大量のデータをコンピュータに解析させ，コンピュータ自らが予測や判断などができるように学習させることです。

④_____学習は，学習データとその正解を与えて，分類や将来の予測ができるようにする方法です。

⑤_____学習は，学習データのみを与える方法で，データのグループ分け(⑥_____)が可能になります。

⑦_____学習は，正解を与えず，試行錯誤を通して，報酬(評価)が最も多く得られるような方策を学習します。

答え	①認識	②判断	③機械学習	④教師あり
	⑤教師なし	⑥クラスタリング	⑦強化	

ディープラーニング

ディープラーニングは，人の脳神経回路を模倣したモデル(①_____)で解析し，AI自らがデータを判別するための特徴を探し出します。②_____関数を使って処理します。

③_____ニューラルネットワークは順序データ用モデルです。

④_____ニューラルネットワークは視覚データ用モデルです。

⑤_____は，出力したデータと正解データを比較して，差が少なくなるように逆方向に遡りながら再学習させることです。

⑥＿＿＿＿＿＿は，学習したデータに過剰に適合しすぎて，未知のデータに適合できず，精度が下がる状態です。

⑦＿＿＿＿＿＿＿＿は，AIが事実ではない情報を生成することです。

⑧＿＿＿＿＿＿＿＿は，AIで元とは異なるものを生成する技術です。

⑨＿＿＿＿＿は，文章や画像，プログラムコードなど，AIが様々なクリエイティブなコンテンツを創り出すことです。

⑩＿＿＿＿＿生成ネットワークは，生成器と識別器を競わせながらリアルなデータを生成させるものです。

⑪＿＿＿＿＿＿＿AIは，様々な情報を同時に理解します。

⑫＿＿＿＿＿＿＿は，AIの意思決定の過程を理解できるようにすることです。

⑬＿＿＿＿＿＿＿＿＿は，AIの思考過程に人が関わることです。

答え	① ニューラルネットワーク　②活性化　③リカレント　④畳み込み ⑤バックプロパゲーション　⑥過学習　⑦ハルシネーション ⑧ディープフェイク　⑨生成 AI　⑩敵対的 ⑪マルチモーダル　⑫説明可能な AI　⑬ヒューマンインザループ

💭 ICT 技術の応用

サイバー空間と現実空間が融合した①＿＿＿＿＿＿＿＿の進展で，人間中心の社会である②＿＿＿＿＿＿＿が実現できるとされています。

地球環境を保護しながら全ての人が貧困を脱し，平和で豊かに暮らせる社会を目指すという目標を③＿＿＿＿＿といいます。

④＿＿＿＿＿＿＿＿は，デジタル空間に現実世界のような世界を作り上げることです。

答え	①超スマート社会　② Society5.0　③ SDGs　④デジタルツイン

3 11 線形代数

学習日　　月　　日

線形代数

　①＿＿＿＿＿は，大きさを表す数値のことです。②＿＿＿＿＿は，数値を一列に並べたもので，構成する要素を③＿＿＿と呼びます。

　④＿＿＿は，横方向の⑤＿＿と，縦方向の⑥＿＿で構成されます。

　⑦＿＿＿＿＿は，行と列が同じ数である行列です。また，左上からの対角線上の成分が1，それ以外の成分が0である正方行列を⑧＿＿＿＿＿＿といいます。さらに，行列Aに行列Bを掛けて単位行列が得られた場合，行列Bは行列Aの⑨＿＿＿＿＿＿といいます。

答え	①スカラー　　②ベクトル　　③成分　　④行列　　⑤行　　⑥列 ⑦正方行列　　⑧単位行列　　⑨逆行列

プチ問題

$$\begin{pmatrix} 1 & 2 \\ 3 & 4 \end{pmatrix}^2 = \begin{pmatrix} 1 & 2 \\ 3 & 4 \end{pmatrix}\begin{pmatrix} 1 & 2 \\ 3 & 4 \end{pmatrix} = \begin{pmatrix} 1\times1+2\times3 & ①\underline{\qquad\qquad} \\ 3\times1+4\times3 & 3\times2+4\times4 \end{pmatrix} = \begin{pmatrix} 7 & ②\underline{\quad} \\ 15 & 22 \end{pmatrix}$$

答え	①$1\times2+2\times4$　　　②10

52

3

12 確率・統計

❤ 確率

$$確率 = \frac{①\underline{\hspace{4cm}}場合の数}{②\underline{\hspace{4cm}}の場合の数}$$

複数の事象が同時に起こる場合の数を考えるときは，③_____で求めます。複数の事象が別々に起こる場合の数を求めるときは，④_____で求めます。

⑤_____は，n個の中からr個を順番に取り出して並べたものです。

！は⑥_____を表します。

n個の中からr個を取り出す⑤_____の数は，

$$_nP_r = \frac{n!}{⑦\underline{\hspace{3cm}}} \quad (n \geqq r)$$

⑧_____は，n個の中から並び順を考慮せずに，r個取り出したものです。

n個の中からr個を取り出す⑧_____の数は，

$$_nC_r = \frac{n!}{⑨\underline{\hspace{3cm}}} \quad (n \geqq r)$$

答え	①ある事象が起こる　②起こりうる事象のすべて　③乗算 ④加算　　　　　　　⑤順列　　　　　　　　　⑥階乗 ⑦ (n－r)！　　　　　⑧組合せ　　　　　　　　⑨r！(n－r)！

📊 統計

①_____は，各データの合計をデータの個数で割って求めた値です。

②_____ (中央値) は，順番に並べて中央に位置する値です。

③_____ (最頻値) は，出現頻度の最も高い値です。

④_____ (範囲) は，データの最大値と最小値の差の値です。

⑤____は，平均値からのばらつきを表し，偏差 (平均値との差) の2乗の平均値です。

⑥_____は，分散の平方根 ($\sqrt{\ }$) です。

標準偏差が⑦_____ければ，ばらつきが小さいといえます。

⑧_____は，平均値を中心とした左右対称の釣り鐘型の分布です。テストの点数などの分布は通常ではこれに近くなります。

⑨_____とは，ある仮説の正しさを，「特に影響がないという仮説 (⑩_____) と，対立仮説を立て，証明しようという手法です。

第1種の誤りは，本当は帰無仮説が正しいのに棄却⑪_____ことで，第2種の誤りは，帰無仮説が誤りなのに棄却⑫_____判断をしてしまうことです。

質的変数には名義尺度と⑬_____尺度，量的変数には⑭_____尺度と比較尺度があります。

答え	①平均値	②メジアン	③モード	④レンジ
	⑤分散	⑥標準偏差	⑦小さ	⑧正規分布
	⑨仮説検定	⑩帰無仮説	⑪する	⑫しない
	⑬順序	⑭間隔		

第 4 章

アルゴリズムと
プログラミング

〔 科目 A・B 〕

PusH   POP

🫰 アルゴリズム

　アルゴリズムは，何らかの問題を①_____の時間で解くための②_____のことです。③_____と呼ばれるデータを格納する領域を用いて，値を格納しながら手順を記述していきます。格納するデータの種類によって，数値や文字列，論理値（真や偽）などの④_____を宣言することで，⑤_____上に領域が確保されます。

答え	①有限　　②手順　　③変数　　④データ型　　⑤主記憶

🫰 フローチャート

　以下のような記号でアルゴリズムを記述します。

記　号	名　称	説　明
⬭	端子	プログラムの①_____と②_____，サブプログラムの③_____と④_____
▭	処理	任意の種類の処理
◇	⑤_____	二つ以上に分岐する判定
⬭	ループ端	⑥_____の開始と終了
—	線	データまたは制御の⑦_____

アルゴリズムは，⑧＿＿＿＿（Ａの次にＢをする），⑨＿＿＿＿（もしＣ
だったらＤをする），⑩＿＿＿＿＿（Ｅの間繰り返す）という三つの制御構
造を用いて作成します。この三つだけを使うことを原則とする手法を
⑪＿＿＿＿＿＿＿＿＿＿＿＿＿＿といいます。

答え	①開始	②終了	③入口	④出口	⑤判断
	⑥繰返し	⑦流れ	⑧順次	⑨選択	⑩繰返し
	⑪構造化プログラミング				

🌀 プチ問題

左右の流れ図の処理を同じにしたいとき，a，bは何が入る？

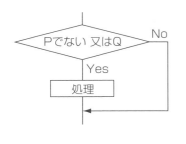
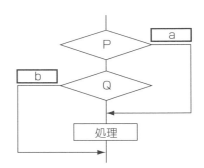

左の流れ図では，「Ｐでない 又はＱ」が「①＿＿＿＿」のものを処理
している。「Ｐでない」と「Ｑである」という条件のうち少なくとも一
つを満たせば処理するということ。

右側の流れ図の a は，Ｐかどうか判断し，判断の結果が処理と
なっているので，「②＿＿でない」つまり「③＿＿＿＿」が入る。

b は，Ｑかどうか判断し，判断の結果が処理しないとなってい
るので，「④＿＿でない」つまり「⑤＿＿＿＿」が入る。

答え	①Yes	②P	③No	④Q	⑤No

👐 擬似言語

①＿＿＿手続名または関数名	手続又は関数を宣言する
②＿＿＿＿＿＿ 変数名	変数を宣言する
/* 注釈 */ または③＿＿＿＿ 注釈	注釈を記述する
変数名 ④＿＿＿ 式	変数に式の値を代入する
手続名または関数名（引数, …）	手続又は関数を呼び出し，引数を受け渡す

if（条件式1）
　処理1
elseif（条件式2）
　処理2
else
　処理3
endif
	⑤＿＿＿＿＿処理を示す。
	条件式を上から評価し，最初に⑥＿＿＿になった条件式に対応する処理を実行する。条件を満たさない場合は⑦＿＿＿＿＿＿＿＿の処理を実行する

while（条件式） 　処理 endwhile	⑧＿＿＿＿＿＿繰返し処理を示す。条件式が真の間，処理を繰返し実行する
do 　処理 while（条件式）	⑨＿＿＿＿＿＿繰返し処理を示す。処理を実行し，条件式が真の間，処理を繰返し実行する
⑩＿＿＿＿＿＿（制御記述） 　処理 endfor	繰返し処理を示す。 制御記述の内容に基づいて，処理を繰返し実行する

答え	①○	②型名：	③//	④←	⑤選択
	⑥真	⑦else	⑧前判定	⑨後判定	⑩for

知っ得情報 決定表

決定表は，条件とその条件に対する動作とを表形式に整理したものです。複雑な条件判定を伴う要求仕様の記述手段として有効です。プログラム制御の条件漏れなどのチェックにも効果があります。

次の表は試験の合否を判定する決定表です。試験は労務管理・経理・英語の3科目で構成され，それぞれの満点は100です。

（決定表の例）

業務経験年数≧5	Y	Y	Y	N
3科目合計得点≧260	Y	Y	N	－
英語得点≧90	Y	N	－	－
合格	X	－	－	－
仮合格	－	X	－	－
不合格	－	－	X	X

条件
Y：Yes　N：No

行動
X：eXecute　－：何もしない

4

アルゴリズムとプログラミング

配列

①＿＿＿＿＿＿＿は，データを効率よく管理するための形式です。

配列は，同じ②＿＿＿＿＿の複数の要素が連続してまとまったデータ構造です。各要素を識別するためには，③＿＿＿＿＿を使います。

要素番号が一つの④＿＿＿＿＿や，二つになっている⑤＿＿＿＿＿＿などがあります。

答え	①データ構造 　　②データ型 　　　③要素番号
	④1次元配列 　　⑤2次元配列

プチ問題

10行10列の2次元配列aを，次のようにメモリ上の連続した領域へ行方向に格納する。

この場合，配列の要素1個につき，アドレスの値が①＿＿＿増える。

また，配列の要素10個につき，アドレスの値は②＿＿＿＿増える。

a［2,1］が格納される番地は，「③＿＿＿＿＿＿＿」となる。

a［2,6］が格納される番地は，「④＿＿＿＿＿＿＿」となる。

番地
100	
101	… a[1, 1] …
102	
103	… a[1, 2] …

答え	①2 　　②20 　　③120，121 　　④130，131

連結リスト

連結リスト

連結リストは，データを記録するデータ部とデータの格納位置を示す①_____部で構成されるデータ構造です。

次のデータへのポインタをもっている②_____リスト，前後のデータへのポインタをもっている③_____リスト，データが環状に連結されている④_____リストがあります。

連結リストは配列に比べて，データへのアクセス時間は⑤____く，データの挿入削除処理の時間は⑥____くなっています。

答え	①ポインタ	②単方向	③双方向	④環状	⑤長	⑥短

プチ問題

営業マンが客先を巡回する連結リストを作った。

先頭へのポインタ
1

アドレス	データ	ポインタ
1	I百貨店	4
2	Sストア	3
3	Cモール	0
4	Jスーパー	2
5	Xマート	

Jスーパーの後に，Xマートを回りたい。この場合はJスーパーのポインタを①____にし，Xマートのポインタを②____にする。

答え	①5	②2

4

アルゴリズムとプログラミング

4 04 キューとスタック

キューとスタック

　①＿＿＿＿＿＿＿は，格納した順序でデータを取り出すことができるデータ構造です。最初に格納したデータは最初に取り出す②＿＿＿＿＿＿の特徴があります。

　③＿＿＿＿＿＿は，格納した順序とは逆の順序でデータを取り出すことができるデータ構造です。最後に格納したデータを最初に取り出す④＿＿＿＿＿＿の特徴があります。ここにデータを格納することを⑤＿＿＿＿＿＿，ここからデータを取り出すことを⑥＿＿＿＿＿＿といいます。

答え	①キュー　　②FIFO　　③スタック　　④LIFO　　⑤プッシュ ⑥ポップ

プチ問題

・①＿＿＿＿＿＿は，サブルーチン呼出し後に戻る番地を格納するのに使われる。②＿＿＿＿＿＿は，タスク待ち行列などに使われる。
・図のデータ構造がある。最後に入れたデータは5である。
　このデータがスタックの場合，ポップすると③＿＿＿が取り
　出される。このデータがキューの場合，デキューすると
　④＿＿＿が取り出される。

5
8
9

答え	①スタック　　②キュー　　③5　　④9

木構造

木構造

木構造は，①_____の上位から下位に節点をたどることで，データを取り出すことができるデータ構造です。

②_____は，全ての枝の分岐が二つ以下である木構造です。

③_____は，根から葉までの深さが全て等しい2分木です。

④_____は，各節において，「左の子＜親＜右の子」という関係をもった2分木です。

⑤_____は，各節において，「親＜子」または「親＞子」という関係をもった完全2分木です。

答え	①階層　　②2分木　　③完全2分木　　④2分探索木 ⑤ヒープ木

プチ問題

逆ポーランド記法で，324÷＋という計算式の結果は？

最初に①_____を計算し，その結果と②____を③_____する。

通常の記法では④_____となり，結果は⑤_____となる。

答え	①2÷4　　②3　　③加算　　④3＋（2÷4）　　⑤3.5

4 06 データの探索

学習日　　月　日

探索法

①＿＿＿＿＿＿＿＿は，配列の先頭から順番に目的のデータを探索していく方法です。さらに工夫し，探索したい目的のデータを配列の最後尾に追加する方法が②＿＿＿＿＿＿です。

③＿＿＿＿＿＿＿＿は，探索範囲を半分に絞り込みながら目的のデータを探索する方法です。

④＿＿＿＿＿＿＿＿＿は，目的のデータの格納先のアドレスを，関数を用いて算出して探索する方法です。格納先のアドレスが衝突してしまうことを⑤＿＿＿＿＿＿＿といいます。

答え	①線形探索法	②番兵法	③2分探索法
	④ハッシュ探索法	⑤シノニム	

プチ問題

2分探索において，データの個数が2倍になると，最大探索回数はどうなる？

2分探索法では，1回の探索で探索範囲を①＿＿＿＿＿＿にできる。逆に，探索回数が②＿＿＿回増えると2倍のデータを探索できる。

答え	① 1/2	② 1

データの整列

整列法

　①_____は，ある規則に従ってデータを並べ替えることです。ソートとも呼ばれています。値の小さなものから大きなものへと並べ替える②_____と，大きなものから小さなものへと並べ替える③_____があります。

　④_____は，隣り合うデータを比較し，逆順であれば入れ替える操作を繰り返す方法です。

　⑤_____は，データ列の最小（大）値を選択して入れ替え，次にそれを除いた部分の中から最小（大）値を選択して入れ替える操作を繰り返す方法です。

　⑥_____は，すでに整列済みのデータ列の正しい位置に，データを挿入する操作を繰り返す方法です。

　⑦_____は，ある一定間隔おきに取り出したデータから成るデータ列をそれぞれ整列し，間隔を詰めて同様の操作を行い，間隔が1になるまで繰り返す方法です。

　⑧_____は，適当な基準値を決めて，基準値より小さな値のグループと大きな値のグループにデータを振り分ける操作を繰り返す方法です。

　⑨_____は，未整列の部分を順序木に構成し，その最大値（最小値）を取り出す操作を繰り返す方法です。

答え	①整列　　　　②昇順　　　　③降順　　　　④基本交換法 ⑤基本選択法　⑥基本挿入法　⑦シェルソート　⑧クイックソート ⑨ヒープソート

🐝 プチ問題

　四つの数の並び(4，1，3，2)を，ある整列アルゴリズムに従って昇順に並べ替えたところ，数の入替えは次のとおり行われた。これは何ソート？

$$(4，1，3，2)$$
$$(1，4，3，2)$$
$$(1，3，4，2)$$
$$(1，2，3，4)$$

　まず，2番目の要素①＿＿，次に3番目の要素②＿＿，最後に4番目の要素③＿＿に着目しながら，各要素をそれより左側の適切な位置に順に入れていく。これは，④＿＿＿＿＿＿です。

答え	①1　　　②3　　　③2　　　④基本挿入法

アルゴリズムの計算量

学習日　月　日

🎵 計算量

　計算量は，①＿＿＿＿＿＿の増加に対して，アルゴリズムの実行時間がどれくらい増加するかを割合で表した指標です。

　計算式の中で一番②＿＿＿が大きい項だけを考え，それ以外の③＿＿＿や④＿＿＿は無視して考えます。

　アルゴリズムの計算量を⑤＿＿で表します。

　順次処理だけで構成されている場合は，⑥＿＿＿＿＿と表します。n回の繰返しが一重ならnに比例し⑦＿＿＿＿＿，n回の繰返しが二重なら，オーダを掛け合わせるので，⑧＿＿＿＿＿＿＿と表します。

　基本交換法・基本選択法・基本挿入法の計算量は，⑨＿＿＿＿＿＿になります。線形探索法の計算量は，⑩＿＿＿＿＿です。

　2分探索法の計算量は，⑪＿＿＿＿＿＿＿です。

　ハッシュ探索法の計算量は，⑫＿＿＿＿＿です。

答え	①データ量	②指数	③定数	④係数	⑤ O
	⑥ $O(1)$	⑦ $O(n)$	⑧ $O(n^2)$	⑨ $O(n^2)$	
	⑩ $O(n)$	⑪ $O(\log_2 n)$	⑫ $O(1)$		

プログラムの性質

①_____は，主記憶上のどのアドレスに配置しても，実行できる性質です。

②_____は，同時に複数のタスク（プロセス）が共有して実行しても，正しい結果が得られる性質です。

③_____は，一度実行した後，ロードし直さずに再び実行を繰り返しても，正しい結果が得られる性質です。

④_____は，実行中に自分自身を呼び出せる性質です。

答え	①再配置可能	②再入可能	③再使用可能	④再帰的

プチ問題

自然数nに対して次の関数f (n)を考えたとき，f (3)の値は？

f (n)：if n ≦ 1 then return 1 else return n + f (n − 1)

f (3) = n + f (3 − 1)。つまり①____ + f (2) … A
f (2) = n + f (2 − 1)。つまり②____ + f (1) … B
f (1) = ③____　これをBに代入すると
f (2) = ④____ + ⑤____ = ⑥____これをAに代入すると
f (3) = ⑦____ + ⑧____ = ⑨____　となる。

答え	①3	②2	③1	④2	⑤1	⑥3	⑦3
	⑧3	⑨6					

学習日　　月　　日

🐌 プログラミング言語

プログラム言語には，コンピュータが理解しやすい機械語または機械語に近い形式で記述した①＿＿＿＿＿＿＿と，人の言葉に近い形式で記述した②＿＿＿＿＿＿があります。

低水準言語	
③＿＿＿＿＿	1と0で構成される
④＿＿＿＿＿＿言語	機械語を1対1で記号に置き換えた言語
高水準言語	
⑤＿＿＿＿＿＿	事務処理計算に適した言語
⑥＿＿	統計分析に適した言語
⑦＿＿＿＿	システム記述に適した言語
⑧＿＿＿＿	C言語にオブジェクト指向の概念を取り入れた言語
⑨＿＿＿＿＿	オブジェクト指向型言語
⑩＿＿＿＿＿＿	オブジェクト指向のスクリプト言語
⑪＿＿＿＿＿＿＿	動的なWebページの作成に適した言語
⑫＿＿＿＿	軽量で並列処理ができる言語

⑬＿＿＿＿＿＿は，Javascript由来のデータ交換の仕様です。

答え	①低水準言語	②高水準言語	③機械語	④アセンブラ
	⑤ COBOL	⑥ R	⑦ C 言語	⑧ C++
	⑨ Java	⑩ Python	⑪ JavaScript	⑫ Go
	⑬ JSON			

🐾 言語プロセッサ

　言語プロセッサは，人が理解できるプログラム言語で記述した原始プログラムを，コンピュータが理解できる①_____に翻訳するためのプログラムです。

　②_____は，アセンブラ言語で書かれた原始プログラムを，機械語に翻訳します。

　③_____は，高水準言語で書かれた原始プログラムを，1命令ずつ解釈しながら実行します。

　④_____は，高水準言語で書かれた原始プログラムを，一括して目的プログラムに翻訳します。

答え	①機械語　　②アセンブラ　　③インタプリタ　　④コンパイラ

🐾 Java

　①_____は，Javaで開発されたプログラムを実行するインタプリタです。

　Java②_____は，クライアントの要求に応じてWebサーバ上で動作します。

　Java③_____は，Java VMを実装していれば，WebサーバやWebブラウザがなくても動作します。

　④_____は，Javaで開発されたプログラムで，よく使われる機能などを部品化し，再利用できるようにするための仕様です。

　⑤_____は，JavaプログラムからデータベースにアクセスするためのAPIです。

答え	① Java VM　　　　②サーブレット　　　③アプリケーション
	④ JavaBeans　　　⑤ JDBC

コンパイル方式

①_____は，原始プログラムから目的プログラム（オブジェクトモジュール）を生成することです。字句解析 → ②_____ → 意味解析 → ③_____ → コード生成の手順で生成します。

④_____は，複数の目的プログラムなどから，一つのロードモジュール（実行可能プログラム）を生成することです。

⑤_____リンキングは，アプリケーションの実行中，必要となったモジュールを，OSによって連携する方式です。⑥_____リンキングは，アプリケーションの実行に先立って，あらかじめ複数の目的プログラムをリンクしておく方式です。

⑦_____は，実行に先立ってロードモジュールを主記憶に読み込むことです。

⑧_____は，あるコンピュータを使って，そのコンピュータとは異なる命令形式をもつコンピュータで実行できる目的プログラムを生成するものです。⑨_____は，ほかのコンピュータ用のプログラムを解読し，実行するものです。

⑩_____は，ソースをまったく書かずに，⑪_____は最小限の記述でアプリケーションを開発することです。

答え	①コンパイル ②構文解析 ③最適化 ④リンク ⑤動的 ⑥静的 ⑦ロード ⑧クロスコンパイラ ⑨エミュレータ ⑩ノーコード ⑪ローコード

開発ツール

①_____（②_____）は，アプリケーション開発のためのソフトウェア・支援ツール類をまとめたものです。OSSとして提供されている③_____などがあります。

④_____は，実行可能ファイルを作ることです。ソースコードを共

有のリポジトリにマージするたびにビルドやテストを繰り返すことを
⑤_____といい，自動化ツールに⑥_____が
あります。

　⑦_____はプログラムを実行環境にインストールして利用可能にす
ることです。

　⑧_____は，プログラムを実行せずに文法の誤りなどを解析
します。

答え	①統合開発環境	② IDE	③ Eclipse
	④ビルド	⑤継続的インテグレーション	
	⑥ Jenkins	⑦デプロイ	⑧静的解析ツール

🔖 マークアップ言語

　①_____は，文書の電子化のためのマークアップ言語です。

　②_____は，Webページ作成用のマークアップ言語です。

　③_____は，アプリケーション間のデータ交換を容易にするための
マークアップ言語です。文章構造を文字型定義 (④_____) として記
述することで，利用者独自のタグを定義できます。

　⑤_____は，XMLとJavaScriptがもつ非同期の通信機能を使
い，動的に画面を更新する仕組みです。

答え	① SGML	② HTML	③ XML	④ DTD	⑤ Ajax

🔖 形式言語

　①_____は，プログラム言語の構文を定義する再帰的な記法です。

　②_____は，文字列の集合の規則を表す記法です。

答え	① BNF 記法	②正規表現

第 5 章

システム構成要素
〔 科目 A 〕

5 01 システム構成

システム構成

業務上不可欠だったり，停止すると深刻なダメージを及ぼすシステムを，①＿＿＿＿＿＿＿＿＿＿＿＿＿＿なシステムといいます。

②＿＿＿＿＿＿＿＿＿＿＿＿＿＿は，現用系と待機系の二系統のシステムで構成され，現用系に障害が生じたときには，待機系に切り替えて処理を続行する形態です。

③＿＿＿＿＿＿＿＿＿＿＿は，現用系に障害が発生したときには，待機系に自動で直ちに切り替えて処理を続行する形態です。

④＿＿＿＿＿＿＿＿＿＿＿は，待機系は通常は他の処理を行っていて，現用系に障害が発生したときにはその処理を中断し，業務システムを起動して処理を続行する形態です。

なお⑤＿＿＿＿＿＿＿は，データを一定期間または一定量を貯めてから，まとめて処理をする形態で，⑥＿＿＿＿＿＿＿＿＿＿＿は，データの発生と同時に処理をする形態です。

⑦＿＿＿＿＿＿＿＿＿＿は，一つの処理を二系統のシステムで独立に行い，結果を照合する形態です。

答え	①ミッションクリティカル	②デュプレックスシステム
	③ホットスタンバイ	④コールドスタンバイ
	⑤バッチ処理	⑥リアルタイム処理
	⑦デュアルシステム	

緊急時の対策

①＿＿＿＿＿＿＿＿＿＿は，バックアップサイトには現用系と同じ構成で稼動させておき，データなども常に更新を行うものです。

②＿＿＿＿＿＿＿＿＿＿は，バックアップサイトにはハードウェアを準備して，データやプログラムは定期的に搬入しておくものです。

③＿＿＿＿＿＿＿＿＿＿は，バックアップサイトのみ確保しておきます。

④＿＿＿＿＿＿は，緊急事態に備えて事前に決めておく行動計画です。事業の中断から復旧までの時間は⑤＿＿＿＿＿と呼ばれています。

BCPを策定し，⑥＿＿＿＿＿＿サイクルで継続的に維持・向上を図るマネジメント活動を⑦＿＿＿＿＿＿といいます。

答え	①ホットサイト ②ウォームサイト ③コールドサイト ④BCP ⑤RTO ⑥PDCA ⑦BCM

クラスタシステム

①＿＿＿＿＿＿＿＿＿＿は，複数のサーバをあたかも一台のサーバのように見せかける技術です。②＿＿＿＿＿＿クラスタは可用性の向上を，③＿＿＿＿＿＿クラスタは高性能化を目的とします。

④＿＿＿＿＿＿＿＿＿＿は，負荷分散型クラスタでのデータの同期方法です。

フェールオーバ型クラスタでデータの整合性をとる方法として，現用系と予備系が一つのディスクを共有する⑤＿＿＿＿＿＿方式と，ディスクをミラーリングする⑥＿＿＿＿＿＿方式があります。

⑦＿＿＿＿＿＿＿＿＿＿＿＿は，多数のコンピュータを連携させ，仮想的に1台の巨大で高性能なコンピュータを作る技術です。

答え	①クラスタシステム ②HA ③HPC ④レプリケーション ⑤共有ディスク ⑥ミラーディスク ⑦グリッドコンピューティング

🎵 クライアントサーバ

現在では1台の高性能なホストコンピュータにデータや処理を集中させる①_____処理から，多くのコンピュータをネットワークで接続し，データや処理を分散させる②_____処理へと変遷しています。

クライアントサーバシステムは，サービスを依頼・利用する③_____とサービスを提供する④_____で機能を分散させる分散処理です。

⑤_____は，論理的にプレゼンテーション層・ファンクション層・データベース層の3層構造に分離したアーキテクチャです。

⑥_____は，利用頻度の高い命令群をあらかじめサーバ上に用意しておくことです。

答え	①集中	②分散
	③クライアント	④サーバ
	⑤3層クライアントサーバシステム	⑥ストアドプロシージャ

🎵 仮想化

サーバ①_____は，1台の物理サーバ上で複数の仮想的なサーバを動作させるための技術です。

ホストOS上で仮想化ソフトウェアを動作させ，その上で別のゲストOSを動かす②_____，ハードウェア上でハイパバイザという仮想化ソフトウェアを動作させ，その上で複数のゲストOSを動かす③__

_____，OS上にコンテナエンジンという管理ソフトウェア
を動作させ，その上でコンテナと呼ばれる実行環境を動作させる④__
_____などがあります。

　⑤_____は，ある物理サーバで稼働している仮想
サーバを停止させず，別の物理サーバに移動させる技術です。

　⑥_____は，個々のサーバのCPUやメモリなどを増強す
ることで，システムの性能を向上させる手法です。

　⑦_____は，サーバの台数を増やすことで，システムの処
理能力を向上させる手法です。

　⑧_____は，サーバ上でアプリケーションや
データを集中管理することで，クライアントには必要最小限の機能し
か持たせないシステムです。実装する仕組みの一つに⑨_____があ
り，クライアントのデスクトップ環境を仮想化されたサーバ上に集約
して稼働させる仕組みです。

　⑩_____は，サーバやネットワークの設定をコードによる自動実行で
管理することです。

　⑪_____は，ネットワーク接続型のファイルサーバ専用機です。

答え	①仮想化	②ホスト型
	③ハイパバイザ型	④コンテナ型
	⑤ライブマイグレーション	⑥スケールアップ
	⑦スケールアウト	⑧シンクライアントシステム
	⑨VDI	⑩IaC
	⑪NAS	

5 システム構成要素

🎀 RAID

RAIDは，複数の磁気ディスクを組み合わせ，1台の仮想的な磁気ディスクとして扱うことで，アクセスの①_____や②_____を実現する技術です。

③_____（④_____）は，データを複数の磁気ディスクに分散して書き込むもので，高速化を図ります。

⑤_____（⑥_____）は，磁気ディスク2台に同じデータを書き込むもので，信頼性が高くなります。

⑦_____は，データをビット/バイト単位に複数の磁気ディスクに分散して書き込み，さらに，1台の磁気ディスクにパリティを書き込みます。

⑧_____は，データをブロック単位に複数の磁気ディスクに分散して書き込み，さらに，複数の磁気ディスクにパリティを分散して書き込みます。

⑨_____は，磁気ディスクが故障したときに，データを修復するための情報です。

答え	①高速化	②高信頼性	③ RAID0	④ストライピング
	⑤ RAID1	⑥ミラーリング	⑦ RAID3	⑧ RAID5
	⑨パリティ			

🐍 信頼性設計

①_____は，構成要素の信頼性を高め，故障そのものを回避する設計です。

②_____は，構成要素を冗長化して，故障が発生しても必要な機能は維持する設計です。

③_____は，システムの一部が故障しても，危険が生じないような構造や仕組みを，システムに組み込む設計です。

④_____は，故障が発生した場合，一部のサービスレベルを低下させても，運転を継続する設計です。システムを部分的に停止させることを⑤_____運転といいます。

⑥_____は，人が誤った操作や取扱いができないような構造や仕組みを，システムに組み込む設計です。

⑦_____は，ヒューマンエラーを減らすための考え方です。

答え	①フォールトアボイダンス ②フォールトトレランス ③フェールセーフ ④フェールソフト ⑤縮退 ⑥フールプルーフ ⑦エラープルーフ

🐍 プチ問題

3台でRAID5を構成した図の（a）には，①_____が入る。

ディスクA	ディスクB	ディスクC
（ a ）	データ1	データ2
データ3	パリティ2	データ4
データ5	データ6	パリティ3

答え	①パリティ1

5 04 システムの性能評価

システムの性能指標

　システムの性能を評価する指標には，単位時間当たりに処理される仕事の量を表す①＿＿＿＿＿＿＿＿，利用者が処理依頼を行ってから，結果の出力が終了するまでの時間である②＿＿＿＿＿＿＿＿＿＿＿＿＿，利用者が処理依頼を行ってから，処理結果が出始めるまでの時間である③＿＿＿＿＿＿＿＿＿などがあります。

　④＿＿＿＿＿＿＿＿＿＿は，システムの使用目的に合った標準的なプログラムを実行させ，その測定数値から処理性能を相対的に評価する方法です。

答え	①スループット　　　　②ターンアラウンドタイム ③レスポンスタイム　　④ベンチマークテスト

MIPS

　MIPSは，①＿＿＿秒間に実行される命令数を②＿＿＿＿＿単位で表したものです。③＿＿＿＿＿＿＿＿は，よく使われる命令をピックアップしてセットにしたものです。

答え	①1　　　②百万　　　③命令ミックス

5 05 システムの信頼性評価

システムの評価特性

以下のような評価特性があり，①_____と呼ばれています。

②_____性	安定して稼働する特性
③_____性	いつでも利用できる特性
④_____性	故障時に容易に修理できる特性
⑤_____性	情報を正しい状態に保つ特性
⑥_____性	認められた者だけが利用できる特性

答え　①RASIS　②信頼　③可用　④保守　⑤保全　⑥安全

システムの評価指標

平均故障間隔（①_____）は，システムが故障してから，次に故障するまでの平均時間です。

平均修理時間（②_____）は，システムが故障して修理に要する平均時間です。

稼働率は，システムが正常に動作している時間の割合で，以下の式で求めます。

$$稼働率 = \frac{③_____}{④_____}$$

システムＡの稼働率をa，システムＢの稼働率をbとしたとき，

直列システムの稼働率は⑤＿＿＿＿＿＿＿

並列システムの稼働率は⑥＿＿＿＿＿＿＿＿＿＿＿＿

となります。

答え	① MTBF ② MTTR ③ MTBF ④ MTBF ＋ MTTR ⑤ a × b ⑥ 1 － (1 － a) (1 － b)

バスタブ曲線

各装置の①＿＿＿＿＿＿＿と②＿＿＿＿＿＿の関係をグラフにすると，浴槽のような形を描くため，バスタブ曲線と呼ばれています。

システムが故障せず，長い時間稼働させるためには，③＿＿＿＿＿＿故障期間に定期点検で部品を交換することによって，④＿＿＿＿＿＿故障期間を迎える時期を遅れさせることが重要です。

答え	①故障率 ②時間 ③偶発 ④摩耗

第6章

データベース技術

〔科目A〕

🐱	ポチ	3才	めす
🐱	ミケ	5才	おす
🐱	タマ	6才	おす
🐱	ミー	6才	めす

6才のおす

一番若い

🐾 データベース

　①＿＿＿＿＿＿＿＿＿は，データベース設計の際に，実世界におけるデータの集合をデータベース上で利用可能にするものです。

　②＿＿＿＿＿＿＿は，データの関係を数学モデルで表現したものです。これをコンピュータに実装し，行と列から構成される2次元の③＿＿＿によって表現したものが④＿＿＿＿＿＿＿＿＿（⑤＿＿＿＿）です。関係モデルでの⑥＿＿＿はRDBでは列で表され，関係モデルでの⑦＿＿＿＿＿はRDBではデータ型で表されます。

　⑧＿＿＿＿＿は，データの形式や性質，ほかのデータとの関連などのデータ定義の集合です。⑨＿＿＿・⑩＿＿＿・⑪＿＿＿の三つのスキーマが用いられ，⑫＿＿＿＿＿＿と呼ばれています。

　⑬＿＿＿＿＿は，実表から関係演算で得た仮想表です。

　⑭＿＿＿＿＿＿＿＿＿＿＿＿＿（DBMS）は，複数の利用者で大量のデータを共同利用できるように管理するソフトウェアです。データの整合性を保つ⑮＿＿＿機能，データベースの障害を回復する障害回復機能，データの改ざんや漏えいを防ぐ機密保護機能などがあります。

　⑯＿＿＿＿＿は，データの格納位置や削除領域を修復することです。

答え	①データモデル	②関係モデル	③表
	④関係データベース	⑤RDB	⑥属性
	⑦定義域	⑧スキーマ	⑨外部
	⑩概念	⑪内部	⑫3層スキーマ
	⑬ビュー	⑭データベース管理システム	⑮保全
	⑯再編成		

データベース設計

データベース設計

E-R図は，対象業務を構成する実体 (①＿＿＿＿＿＿＿＿) と実体間の
②＿＿＿＿ (リレーションシップ) を視覚的に表した図です。

主キーは，表中の行を一意に識別するための③＿＿＿のことです。主
キーの値が同じ行が複数存在することはありません (④＿＿＿＿＿)。
また，空値 (NULL) は許されず，必ず値が入力されている必要があり
ます (⑤＿＿＿＿＿＿＿)。

外部キーは，他の表の⑥＿＿＿＿＿を参照している列のことです。外
部キーを定義した場合は，データの追加や更新，削除時には，関係す
る表間で参照一貫性が維持されるよう制約されます (⑦＿＿＿＿＿)。

⑧＿＿＿＿＿＿＿は，どのデータがどこにあるかを示したものです。

答え	①エンティティ	②関連	③列	④一意性制約
	⑤非 NULL 制約	⑥主キー	⑦参照制約	⑧インデックス

プチ問題

スマートフォンを複数持っている人もいる。スマートフォンを他の
人と共有することはないとする。この場合，人とスマートフォンの関
係を矢印で表すと，「人①＿＿＿＿スマートフォン」となり，「②＿＿＿
＿」の関係となる。

答え	①→	②1 対多

データの正規化

データの正規化は，必要なデータ項目を整理して，データが①_____しないように表を②_____することです。

非正規形の表を，次の手順で正規化します。

③_____項目の排除と計算で求められる項目の削除を行い（第1正規形），主キーの④_____の項目によって決まる項目を別の表に分離し（第2正規形），⑤_____以外の項目によって決まる項目を，別の表に分離します（第3正規形）。

複数の列を組み合わせた主キーを⑥_____といいます。

主キーの一部の項目により項目が一意に決まる関係を⑦_____といいます。また，主キーにより項目が一意に決まる関係を，⑧_____といいます。

主キー以外の項目によって項目が一意に決まる関係を⑨_____といいます。

答え			
	①重複	②分離	③繰返し
	④一部	⑤主キー	⑥複合主キー
	⑦部分関数従属	⑧完全関数従属	⑨推移的関数従属

確認問題　A　▸ 平成20年度春期　問57　　正解率 ▸ 中

"診療科" 表, "医師" 表及び "患者" 表がある。患者がどの医師の診察も受けることができ, かつ診察する医師の特定もできる "診察" 表はどれか。ここで, 表定義中の実線は主キーを, 破線は外部キーを表す。

診療科

診療科コード	診療科名称

医師

医師番号	医師名	診療科コード

患者

患者番号	患者名

ア

医師番号	患者番号	診察日時

イ

医師番号	診察日時

ウ

診療科コード	医師番号	診察日時

エ

診療科コード	患者番号	診察日時

要点解説　"診察" 表で, 医師と患者を結び付ける必要があるので, 医師番号と患者番号が必要になります。診療科には複数の医師がいるので, 医師番号がなければ医師の特定ができません。

解答

問題A：ア

🥸 トランザクション処理

トランザクション処理は，データベース①_____時に切り離すことができない一連の処理のことです。②_____特性と呼ばれる特性が求められます。

③_____性	トランザクション処理が，全て完了したか，全く処理されていないかで終了すること
④_____性	データベースの内容に矛盾がないこと
⑤_____性	複数のトランザクションを同時に実行した場合と，順番に実行した場合の処理結果が一致すること
⑥_____性	トランザクションが正常終了すると，更新結果は障害が発生してもデータベースから消失しないこと

答え	①更新	② ACID	③原子	④一貫	⑤独立	⑥耐久

🥸 ロック

①_____は，データの更新中はアクセスを制限して，別のトランザクションから更新できないよう制御することです。

②_____は，トランザクションがデータを参照する前にかけるロックです。

③_____は，トランザクションがデータを更新する前にかけるロックです。

表単位のロックと行単位のロックを比べると，ロックの競合がより

起こりやすいのは，④＿＿＿単位でロックした場合です。⑤＿＿＿単位で
ロックした場合は，競合は起こりにくくなりますが，ロックの粒度が
⑥＿＿＿＿いので，管理するロック数が⑦＿＿＿＿＿ことで，DBMSのメモ
リ使用領域がより⑧＿＿＿＿必要になります。

　⑨＿＿＿＿＿＿＿は，複数のトランザクションが，互いに相手が専有
ロックしている資源を要求して待ち状態となり，実行できなくなる状
態です。

| 答え | ①排他制御 | ②共有ロック | ③専有ロック | ④表 | ⑤行 |
| | ⑥小さ | ⑦増える | ⑧多く | ⑨デッドロック | |

2相コミットメント

　2相コミットメントは，①＿＿＿＿＿＿＿データベースシステムにおいて，
一連のトランザクション処理を行う複数サイトに更新処理が確定可能
かどうかを問い合わせた後，全てのサイトが確定可能であれば，更新
処理を確定する方式です。

　更新を確定する前に②＿＿＿＿＿状態を設定して，一連の処理が障害な
く更新できた場合は，全ての結果を確定します（③＿＿＿＿＿＿）。障害
の発生時は，その処理を強制終了して（④＿＿＿＿＿＿），全ての結果を
無効として更新前の状態に戻します（⑤＿＿＿＿＿＿＿）。

　⑥＿＿＿＿＿＿＿＿＿は，使用する資源が遠隔地にあろうと手元にあろ
うと，利用者が意識することなく同じ処理方式でアクセスできること
です。

　⑦＿＿＿＿＿＿＿は，大規模なデータを複数サーバに分散し，並列して
高速処理するミドルウェアです。

| 答え | ①分散型 | ②中間 | ③コミット | ④アボート |
| | ⑤ロールバック | ⑥アクセス透過性 | ⑦Hadoop | |

📖 障害回復

①_____は，データベースの障害回復のために，データベースの更新前や更新後の値を書き出して，データベースの更新記録を取ったものです。②_____とも呼ばれています。

③_____は，データベースのハードウェア障害に対して，フルバックアップ時点の状態に復元した後，ログファイルの更新後情報を使用して復旧させる方法です。

④_____は，トランザクション処理プログラムが，データベースの更新途中に異常終了した場合に，ログファイルの更新前情報を使用して復旧させる方法です。

通常，トランザクションがコミットされると，DBMSは更新情報を⑤_____上のバッファとログファイルに書き出します。バッファからデータベースへの更新は，⑥_____のタイミングで一括して反映させます。もしシステム障害でバッファ上のデータが消失したなら，直近の⑦_____以降の更新内容が失われてしまいます。この場合は，チェックポイント時のデータと⑧_____の更新履歴を使って，データベースを回復させます。

⑨_____は，システムの電源を切らずにログの更新情報を使って処理を再開することです。⑩_____は，システムの電源を入れ直し，システムを初期状態に戻してから処理を再開することです。

答え	①ログファイル　　　②ジャーナルファイル　　③ロールフォワード ④ロールバック　　　⑤メモリ　　　　　　　⑥チェックポイント ⑦チェックポイント　⑧ログファイル　　　　⑨ウォームスタート ⑩コールドスタート

確認問題 A ▶ 平成28年度秋期　問30　　正解率▶低

　トランザクションTはチェックポイント取得後に完了したが，その後にシステム障害が発生した。トランザクションTの更新内容をその終了直後の状態にするために用いられる復旧技法はどれか。ここで，チェックポイントの他に，トランザクションログを利用する。

ア　2相ロック　　　　　　　　イ　シャドウページ
ウ　ロールバック　　　　　　　エ　ロールフォワード

要点解説 チェックポイントファイル取得→トランザクションT完了→システム障害という順番です。
　まずチェックポイント取得時点までデータを復旧し，トランザクションログでトランザクションTが完了する時点まで前進復帰（ロールフォワード）でデータを復旧します。

解答

問題A：エ

データ操作とSQL

データベースの演算

関係データベースの表から目的のデータを取り出す演算としては，①_____演算と②_____演算があります。

③_____	表の中から特定の列を抽出する
④_____	表の中から条件に合致した行を抽出する
⑤_____	二つ以上の表を結合して，一つの表を生成する
⑥____	二つの表にある全ての行を取り出す。同じ行は一つにまとめる
⑦____	二つの表に共通している行を取り出す
⑧____	一方の表から他方の表を取り除く

答え	①関係　　②集合　　③射影　　④選択　　⑤結合　　⑥和　　⑦積 ⑧差

SQL

関係データベースの表を①_____したり，データを②_____したりするときに，SQLという言語を使います。SQLには，データベースや表などを定義するデータ定義言語（③_____）と，データの抽出や挿入，更新，削除などを行うデータ操作言語（④_____）があります。

答え	①定義　　②操作　　③DDL　　④DML

表の定義

実際に業務で使うデータの構造を以下のように定義します。

①_____ 表名…	表を作成する
②_____	主キーを設定する。一意制約かつ NULL禁止
③_____ (列名) REFERENCES 表 (列名)	外部キーを設定し参照制約をつける
④_____ (列名)	一意制約をつける (重複を禁止する)
⑤_____ (列名 条件)	検査制約をつける (値に条件をつける)
⑥_____	NULL を許容しない
⑦_____ 表名…	ビュー表を作成する

答え	① CREATE TABLE ② PRIMARY KEY ③ FOREIGN KEY ④ UNIQUE ⑤ CHECK ⑥ NOT NULL ⑦ CREATE VIEW

表の種類

磁気ディスクに存在する①_____に対して，②_____は，実際に存在する実表から必要な部分を取り出して，一時的に作成した表のことです。利用者に対して，実表と異なる表現で利用者に提示することができます。磁気ディスクには存在しない③_____です。

答え	①実表 ②ビュー表 ③仮想表

6 データベース技術

🎀 データの抽出

関係データベースの表から必要なデータを抽出するには，「SELECT文」を使います。基本形は次のようになります。

SELECT 列名，①_____ 表名，②_____ 条件式

条件式で「AはBと等しくない」を表す場合は③_____と指定します。また，ANDやORなどの④_____演算子も使えます。

条件式でORを複数使うときは，⑤_____も代わりに使えます。また，上限や下限は⑥_____でも指定できます。

二つ以上の表を結合して，一つの表を生成したいときは，⑦_____で抽出対象となる表を複数指定し，「⑧_____ 条件式」で表間をどの列で結合するかを指定します。

抽出した結果の行の重複を一つにまとめるときは⑨_____を指定します。⑩_____を使うと，文字列の一部分が一致する行を抽出できます。

答え	① FROM ② WHERE ③ A＜＞B ④論理 ⑤IN
	⑥ BETWEEN ⑦ FROM ⑧ WHERE ⑨ DISTINCT ⑩ LIKE

 プチ問題

次の表から，データを取り出してみよう。

ツアー表

コード	目的地	日数	費用
001	ヨーロッパ	8	300,000
002	ハワイ	5	80,000
003	ハワイ	6	100,000
004	ヨーロッパ	7	200,000
005	ハワイ	6	100,000

受注表

コード	出発日	人数
001	5/8	3
001	5/16	2
005	5/31	4
004	5/31	2
005	5/16	1

・ 費用が200,000円以上のツアーのコードと目的地を取り出すには？

SELECT ①_____, 目的地　FROM ②_____

WHERE ③_____

・ 出発日が5/16 のものの目的地を取り出すには？

SELECT ④_____　FROM ⑤_____, ⑥_____

WHERE ⑦_____

AND ⑧_____

答え	①コード　　②ツアー表　　③費用 >=200000　　④目的地 ⑤ツアー表　　⑥受注表　　⑦ツアー表.コード＝受注表.コード ⑧出発日＝ "5/16"

6

データベース技術

SQL (並べ替え・グループ化)

並べ替えと集合関数

SQLの「SELECT文」で,「①＿＿＿＿＿＿＿＿＿＿＿＿　列名」を指定すると,列の内容で昇順 (②＿＿＿＿＿＿) ,または降順 (③＿＿＿＿＿＿＿) に行を並べ替えることができます。なお,④＿＿＿＿＿＿は省略可能です。

SQLには,指定した列の値を集計する集合関数 (集約関数・集計関数) が用意されています。指定した行数を求めるには, ⑤＿＿＿＿＿＿＿＿＿＿＿＿を使います。集合関数で求めた列に,「⑥＿＿＿＿＿」を使って新たに別名を付けることができます。

「SELECT文」で,「⑦＿＿＿＿＿＿＿＿＿＿列名」を指定すると,指定した列の内容が一致する行をグループ化できます。さらに,指定したグループに対して,「⑧＿＿＿＿＿＿＿＿」を使ってグループに対する条件を付けることができます。

答え	① ORDER BY	② ASC	③ DESC	④ ASC
	⑤ COUNT(*)	⑥ AS	⑦ GROUP BY	⑧ HAVING

6 08 SQL (副問合せ)

学習日　月　日

副問合せ

「SELECT文の①＿＿＿＿＿＿＿」に，さらに「SELECT文」を組み込み，再度抽出することを副問合せといいます。

②＿＿＿＿（その否定は③＿＿＿＿＿＿）を使った副問合せと，④＿＿＿＿＿＿＿（その否定は⑤＿＿＿＿＿＿＿＿＿）を使った相関副問合せがあります。

⑥＿＿＿＿＿＿＿＿は，親プログラム内にSQLを記述して，関係データベースの操作をプログラムから行うことです。プログラム言語とSQLを⑦＿＿＿＿＿によって橋渡しします。

⑧＿＿＿＿＿は，表やビュー表の操作の権限を利用者に付与します。

答え	①条件式	②IN	③NOT IN	④EXISTS
	⑤NOT EXISTS	⑥組込みSQL	⑦カーソル	⑧GRANT

6 データベース技術

知っ得情報 ◀自己結合と相関名▶

表の名前が長いときや，WHERE句の中で何度も表の名前が出てくるとき，XやYなどの省略した別名（相関名）をつけることができます。FROM句で表名に続けて相関名を記述します。同じ表に違う名前をつけて，別の2つの表であるかのように結合させることができますが（自己結合），そのようなときに相関名を使います。

以下は，リーダのほうが若い会員を選択するSQLで，同じ会員表にX，Yという別名をつけています。

```
SELECT X. 会員名
    FROM 会員 X，会員 Y
    WHERE X. リーダ会員番号 ＝ Y. 会員番号
        AND X. 生年月日 ＜ Y. 生年月日
```

会員

会員番号	会員名	生年月日	リーダ会員番号
001	田中	1980-03-25	002
002	鈴木	1990-02-15	002
003	佐藤	2000-05-27	002
004	福田	1980-10-25	004
005	渡辺	1975-09-01	004

抽出結果

会員番号
田中
渡辺

6 09 データベースの応用

データベースの応用

①_____は，RDBとは異なる方法で処理するデータベース全般のことです。②_____の保存や解析を目的としています。次のようなものがあります。

③_____	保存したいデータとデータを一意に識別できるキーを組として管理
④_____	キーに対するカラム（項目）を自由に追加可能
⑤_____	ドキュメント1件が1つのデータとなる。データ構造は自由
⑥_____	ノード間を方向性のあるリレーションでつないで構造化する

企業では，データベースを次のように有効活用しています。

⑦_____	生データを蓄積するデータベース
⑧_____	企業活動で得た大量のデータを整理・統合して蓄積したデータベース
⑨_____	蓄積された情報を分析し，経営判断上の有用な情報を取り出すツール
⑩_____	データウェアハウスから抽出した目的別のデータベース
⑪_____	大量のデータを分析し，新たな法則や因果関係を見つけ出すこと

答え	① NoSQL	②ビッグデータ
	③キーバリューストア型	④カラム指向型
	⑤ドキュメント指向型	⑥グラフ指向型
	⑦データレイク	⑧データウェアハウス
	⑨BIツール	⑩データマート
	⑪データマイニング	

🐾 データ活用

①＿＿＿＿＿＿＿＿は，多種多様で発生・更新の②＿＿＿＿＿が速い大量のデータのことです。これらを組み合わせて分析することで，新たな価値を生み出すことができると期待されています。

③＿＿＿＿＿＿＿＿は，関係データベースの表のようなデータです。

④＿＿＿＿＿＿＿＿は，自由な形式のデータです。

また，⑤＿＿＿＿＿＿＿＿は，⑥＿＿＿＿＿＿に適した形式で，自由に二次利用できるというルールの下で，国・地方自治体・企業などが公開するデータをいいます。

答え	①ビッグデータ	②頻度	③構造化データ
	④非構造化データ	⑤オープンデータ	⑥機械判読

🐾 データベース資源の活用

①＿＿＿＿＿＿は，ソフトウェアの設計情報やプログラム情報を一元的に管理するためのデータベースをいいます。

②＿＿＿＿＿＿＿＿＿は，データ項目の名称や意味を登録しているデータ辞書です。

答え	①リポジトリ	②データディクショナリ

第 7 章

ネットワーク技術

〔 科目 A 〕

7 01 ネットワーク方式

LAN

　LANは，ある建物内や敷地内などの比較的①＿＿い範囲内で敷設したネットワークのことです。

　最も普及している有線LANは，②＿＿＿＿＿＿＿と呼ばれ，③＿＿＿＿＿＿＿＿＿＿として規格化されています。アクセス制御方式は，④＿＿＿＿＿＿＿＿を採用しています。この方式は，伝送路上でのデータ衝突（コリジョン）を⑤＿＿＿＿したらランダムな時間を待って再送する方式のため，接続する端末の数が増えると通信速度が⑥＿＿＿くなります。

　無線LANは，⑦＿＿＿＿＿＿＿＿＿として規格化されています。自由な位置にコンピュータを配置できる反面，情報の漏えいや盗聴の危険性があります。接続可能な端末を制限する⑧＿＿＿＿＿＿＿＿＿＿＿＿＿，強固な暗号形式である⑨＿＿＿＿＿やWPA3などで暗号化する，無線のネットワークを識別する文字列である⑩＿＿＿＿＿＿のステルス化を行うなどのセキュリティ対策が必要になります。アクセス制御方式は，⑪＿＿＿＿＿で，衝突を起こさないように制御します。

　⑫＿＿＿＿は，無線LANの接続性を保証するブランド名です。

　⑬＿＿＿＿＿＿＿は，端末間で直接通信するモードです。

答え	①狭　　②イーサネット　③IEEE802.3　④CSMA/CD　⑤検知 ⑥遅　　⑦IEEE802.11　⑧MACアドレスフィルタリング ⑨WPA2　⑩ESSID　⑪CSMA/CA　⑫Wi-Fi ⑬Wi-Fi DIRECT

WAN

WANは，遠隔地にある①＿＿＿＿＿同士などを接続する広域ネットワークのことです。固定的に接続する②＿＿＿＿＿サービスや，接続時間で課金する③＿＿＿＿＿サービス，回線を共用する④＿＿＿＿＿＿サービスなどがあります。

⑤＿＿＿＿＿は，公衆回線をあたかも専用線のように使える仮想的なネットワークです。⑥＿＿＿＿＿＿＿＿＿＿はインターネットを利用するVPNで，⑦＿＿＿＿＿や広域イーサネットは通信事業者の独自ネットワークを使うVPNです。

答え	①LAN　②専用線　③回線交換　④パケット交換　⑤VPN ⑥インターネットVPN　⑦IP-VPN

モバイル通信サービス

通信事業者などと契約して提供される①＿＿＿＿＿カードを端末に挿入して通信します。通信事業者の移動体通信網を借用して，自社ブランドで通信サービスを提供する②＿＿＿＿＿もあります。③＿＿＿＿＿＿＿は，スマホなどの端末をアクセスポイントのように用いて，PCなどからインターネットに接続することです。

5Gには，「④＿＿＿＿＿」，「⑤＿＿＿＿＿」，「⑥＿＿＿＿＿＿」という特徴があります。

⑦＿＿＿＿＿＿＿＿＿＿＿＿＿は，複数の異なる周波数帯を束ねて，無線通信の高速化や安定化を図る手法です。

IoTネットワークでは，低速で最大数十kmの広域をカバーする⑧＿＿＿＿＿の整備が進んでいます。

答え	①SIM　②MVNO　③テザリング　④超高速　⑤超低遅延 ⑥多数同時接続　⑦キャリアアグリゲーション　⑧LPWA

7
ネットワーク技術

通信プロトコル

OSI参照モデル

ネットワークアーキテクチャを標準化するために，ISOが次の7階層にまとめ，機能を定めたものです。

第7層	アプリケーション層	アプリケーション固有の機能
第6層	①＿＿＿＿＿＿＿＿＿＿層	データの表現形式
第5層	セション層	通信の開始から終了までを提供
第4層	②＿＿＿＿＿＿＿＿層	エンドシステム間の通信の信頼性を確保
第3層	③＿＿＿＿＿＿＿層	エンドシステム間の通信を提供
第2層	④＿＿＿＿＿＿＿層	隣接したコンピュータ間の通信を提供
第1層	物理層	ネットワークの物理的な機能

答え	①プレゼンテーション　②トランスポート　③ネットワーク ④データリンク

TCP/IP

①＿＿＿＿＿＿＿は，コンピュータが通信するときに使用する約束事です。ネットワークプロトコル体系のデファクトスタンダードが②＿＿＿＿＿＿＿＿＿です。上位からアプリケーション層，トランスポート層，③＿＿＿＿＿＿＿＿層，④＿＿＿＿＿＿＿＿＿＿＿＿＿＿＿＿＿＿＿層です。

OSI参照モデルの第7層から第5層まではTCP/IPの⑤＿＿＿＿＿＿＿＿＿層に対応しています。

答え	①プロトコル ②TCP/IP ③インターネット ④ネットワークインタフェース ⑤アプリケーション

アプリケーション層のプロトコル

①_____	HTML文書などを送受信
②_____	ファイルを転送
③_____	リモートログインして操作
④_____	ネットワーク上の機器などの情報収集
⑤_____	複数のコンピュータの時刻を同期
⑥_____	メールの送信，サーバ間の送受信
⑦_____	メールの受信。 メールを端末にダウンロードして管理
⑧_____	メールの受信。 メールをサーバ上で管理

答え	① HTTP ② FTP ③ TELNET ④ SNMP ⑤ NTP ⑥ SMTP ⑦ POP3 ⑧ IMAP4

トランスポート層のプロトコル

①_____	信頼性の高いデータ転送を提供
②_____	信頼性は保証しないが，高速なデータ転送を提供

答え	① TCP ② UDP

7

ネットワーク技術

インターネット層のプロトコル

①_____	IPアドレスでデータを通信相手まで届ける
②_____	通信相手との通信状況をメッセージで返す
③_____	IPアドレスからMACアドレスを取得する
④_____	MACアドレスからIPアドレスを取得する

　⑤_____アドレスは，ネットワーク機器にあらかじめ割り振られた世界で一意の物理アドレスです。

答え	① IP	② ICMP	③ ARP	④ RARP	⑤ MAC

ネットワークインターフェース層のプロトコル

①_____	2地点間を接続して通信する
②_____	LAN上でPPPを行い，常時接続する

答え	① PPP	② PPPoE

学習日　　月　　日

🐾 データ伝送単位

　①_____は，ネットワーク上を流れるデータを小さく分割したものです。ネットワーク上を流れるデータは全て，広義の意味で②_____と呼ばれることがあります。

　一方，OSI基本参照モデルなどのプロトコル体系では，階層ごとのデータを，③_____（トランスポート層），④_____（ネットワーク層），⑤_____（データリンク層）と呼んでいます。

　TCPヘッダには⑥_____が，IPヘッダには⑦_____が，MACヘッダには⑧_____が付加されます。

答え	①パケット	②パケット	③セグメント	④パケット
	⑤フレーム	⑥ポート番号	⑦IPアドレス	⑧MACアドレス

7

ネットワーク技術

🐾 ネットワーク接続機器

　①_____は，物理層で中継し，伝送距離を延長するために伝送路の途中でデータの信号波形を増幅・整形します。

　②_____は，データリンク層で中継し，フレームの宛先③_____を解析して，適切なネットワークに中継します。

　④_____は，LANケーブルを束ねる集線装置のことで，宛先MACアドレスが存在するLANポートにだけ転送されます。

　⑤_____は同じ機能で，仮想的なネットワークを構成する⑥_____機能を加えたものもあります。

⑦＿＿＿＿＿＿＿はネットワーク層で中継する装置です。パケットの宛先⑧＿＿＿＿＿＿＿＿＿＿を解析して，最適な経路を選択（⑨＿＿＿＿＿＿＿＿）し，中継します。⑩＿＿＿＿＿＿＿＿と同じ機能です。

⑪＿＿＿＿＿＿＿＿＿は，トランスポート層以上が異なるネットワーク同士でプロトコル変換を行う装置です。

異なるネットワークを接続する出入り口となる装置を⑫＿＿＿＿＿＿＿＿＿＿＿＿＿＿＿＿＿＿と呼ぶこともあります。

答え	①リピータ	②ブリッジ	③MACアドレス
	④スイッチングハブ	⑤L2スイッチ	⑥VLAN
	⑦ルータ	⑧IPアドレス	⑨ルーティング
	⑩L3スイッチ	⑪ゲートウェイ	⑫デフォルトゲートウェイ

🦋 プチ問題

1個のTCPパケットをイーサネットに送出したとき，イーサネットフレームに含まれる宛先情報の送出順序は，①＿＿＿＿層から②＿＿＿＿層にデータを送り，それぞれの③＿＿＿＿と④＿＿＿＿＿を特定する情報を先頭に付加していくので，次のようになる。

宛先⑤＿＿＿＿＿＿＿＿＿，宛先IPアドレス，宛先⑥＿＿＿＿＿＿＿＿

| 答え | ①上位 | ②下位 | ③宛先 | ④送信元 | ⑤MACアドレス |
| | ⑥ポート番号 | | | | |

🗨 IPアドレス

　IPアドレスは，①＿＿＿＿＿＿＿＿のネットワーク上にある端末やネットワーク機器を識別するための番号です。IPv4では，IPアドレスは2進数②＿＿＿＿ビットで構成しています。8ビット単位に③＿＿＿進数に変換し，ドット (.) で区切って表現します。人が理解しやすいように文字列に置き換えた別名のことを④＿＿＿＿＿＿＿＿といいます。

　狭義の意味では，⑤＿＿＿＿＿＿＿はネットワークを識別する文字列で，⑥＿＿＿＿＿＿はネットワーク内のコンピュータを識別する文字列です。「www.ipa.go.jp」のような形式は，⑦＿＿＿＿＿＿とも呼ばれています。

答え	①TCP/IP　②32　③10　④ドメイン名　⑤ドメイン名 ⑥ホスト名　⑦FQDN

🗨 DNSとDHCP

　①＿＿＿＿＿＿＿は，ドメイン名やホスト名などとIPアドレスとを対応付ける仕組みです。この働きは②＿＿＿＿＿＿＿と呼ばれています。

　③＿＿＿＿＿＿＿は，LANに接続された端末に対して，必要なIPアドレスを自動的に割り当てるために用いるプロトコルです。サーバに登録してあるIPアドレスの中から使用されていないIPアドレスを④＿＿＿＿＿に割り当てます。

答え	①DNS　②名前解決　③DHCP　④動的

NATとNAPT

インターネットで使用するのは①＿＿＿＿＿＿＿IPアドレスです。LANなどで使用するのは②＿＿＿＿＿＿＿IPアドレスです。ルータには相互変換機能が備わっており，1対1で相互変換するのが③＿＿＿＿＿＿です。一つのグローバルIPアドレスと，複数のプライベートIPアドレスを相互変換する技術が④＿＿＿＿＿で，変換に⑤＿＿＿＿＿＿も利用し，⑥＿＿＿＿＿＿＿＿＿とも呼ばれています。

答え	①グローバル ②プライベート ③NAT ④NAPT ⑤ポート番号 ⑥IPマスカレード

ポート番号

通信相手の①＿＿＿＿＿＿＿＿＿を識別するために使用される番号がポート番号で，0から65,535までの番号が付けられます。そのうち0から1,023までは②＿＿＿＿＿＿＿＿＿と呼ばれ，特定の③＿＿＿＿＿＿＿＿＿のために予約されています。例えばHTTPは④＿＿＿＿＿，SMTPは⑤＿＿＿＿＿，POP3は⑥＿＿＿＿＿です。

⑦＿＿＿＿＿＿＿やifconfigは，コンピュータのネットワーク設定を確認できるコマンドです。

答え	①アプリケーション ②ウェルノウンポート ③アプリケーション ④80 ⑤25 ⑥110 ⑦ipconfig

確認問題 A ▶ 平成27年度秋期 問32 　正解率 ▶ 中

　LANに接続されたPCに対して，そのIPアドレスをPCの起動時などに自動設定するために用いるプロトコルはどれか。

ア　DHCP 　　　　イ　DNS 　　　　ウ　FTP 　　　　エ　PPP

 IPアドレスの設定を自動化するためのプロトコルは，DHCPです。

確認問題 B ▶ 平成23年度特別 問36 　正解率 ▶ 中

　TCP及びUDPのプロトコル処理において，通信相手のアプリケーションを識別するために使用されるものはどれか。

ア　MACアドレス 　　　　　　イ　シーケンス番号
ウ　プロトコル番号 　　　　　　エ　ポート番号

TCPヘッダやUDPヘッダには，送信元/宛先のポート番号が含まれており，アプリケーションを識別するために使われます。

7
ネットワーク技術

解答

問題A：ア　問題B：エ

🮲 クラス

IPv4では32ビットを①＿＿＿＿＿＿部と②＿＿＿＿＿部に分けて管理しています。

ホスト部が「全て0」のアドレスは，そのホストが属している③＿＿＿＿＿＿＿＿＿アドレス，ホスト部が「全て1」のアドレスは，④＿＿＿＿＿＿＿＿＿アドレスです。

クラスAは「⑤＿＿」から始まり，ネットワーク部⑥＿＿ビット，ホスト部⑦＿＿＿＿ビットで構成します。

クラスBは「10」から始まり，ネットワーク部⑧＿＿＿＿ビット，ホスト部⑨＿＿＿＿ビットで構成します。

クラスCは「110」から始まり，ネットワーク部⑩＿＿＿＿ビット，ホスト部⑪＿＿＿＿ビットで構成します。

接続可能なホスト台数が多いのはクラス⑫＿＿＿＿で，ホスト台数が少ないのは⑬＿＿＿＿です。

答え	①ネットワーク	②ホスト	③ネットワーク	④ブロードキャスト
	⑤0	⑥8	⑦24	⑧16
	⑨16	⑩24	⑪8	⑫A
	⑬C			

🔹 サブネッティング

①_____部の情報を分割し，複数のより小さいネットワーク（②__
_____）を形成することができます。③_____部を拡張
（ホスト部から間借り）します。

④_____は，IP アドレスをネットワーク部とホスト部に
区切るためのビット列で，サブネット部を含めたネットワーク部には
「⑤____」を，ホスト部には「⑥____」を指定します。

ホストの IP アドレスとサブネットマスクを⑦_____演算すると，
そのホストが属する⑧_____アドレスを求められます。

⑨_____は，ネットワーク部とホスト部の境界を 1 ビット単位で
設定しようというものです。

答え	①ホスト	②サブネット	③ネットワーク
	④サブネットマスク	⑤1	⑥0
	⑦AND	⑧ネットワーク	⑨CIDR

🔹 IPv6

IP アドレスを①_____ビットに拡張した IPv6 への移行がすすめら
れています。IPv6 は，アドレスの 16 進表記を 4 文字ずつ「②____」で
区切ったフィールドで表現します。全て③____のフィールドの連続は
「::」で表すなど，長いアドレスを省略できます。

IPv4 と IPv6 の機器はそのままでは共存できませんが，IPv4 パケッ
トの中に IPv6 アドレスを入れ込むカプセル化（④_____）など
の技術を使って，相互に通信できます。

IPv6 には，TCP/IP のネットワークで暗号通信を行うための通信プ
ロトコル⑤_____が組み込まれています。

答え	①128	②:	③0	④トンネリング	⑤IPsec

🐾 プチ問題

ホストのIPアドレスは192.168.31.58

　　　　1100 0000 1010 1000 0001 1111 0011 1010

サブネットマスクは255.255.255.248

　　　　1111 1111 1111 1111 1111 1111 1111 1000

・ ネットワークアドレスは？

　　2進数 1100 0000 1010 1000 0001 1111 ①＿＿＿＿＿＿＿

　　10進数 192.168.31.②＿＿＿＿

・ ブロードキャストアドレスは？

　　2進数 1100 0000 1010 1000 0001 1111 ③＿＿＿＿＿＿＿

　　10進数 192.168.31.④＿＿＿＿

・ つなげられるホストの数は⑤＿＿＿個

・ 次のアドレスは付与できる？

　　192.168.31.64は付与⑥＿＿＿＿＿

・ ホストのIPアドレスをCIDR表記で表すと？

　　⑦＿＿＿＿＿＿＿＿＿＿＿＿

・ 属するクラスはクラス⑧＿＿＿

答え	①0011 1000	②56	③0011 1111	④63
	⑤6	⑥できない	⑦192.168.31.58/29	⑧C

インターネットの応用

①_____は，Web上で取得したいWebページなどの情報源を示すための表記方法です。スキーム名（②_____）やホスト名，③_____名などを指定してアクセスします。

④_____は，Web上の情報源を一意に示す総称で，URLとURNで構成されます。

⑤_____は，Webブラウザからの要求に対して，Webサーバが外部のプログラムを呼び出し，その結果をHTTPを介してWebブラウザに返す仕組みです。

⑥_____は，電子メールの規格を拡張して，様々な形式を扱えるようにした規格で，これに暗号化と署名をする仕組みを加えた規格が，⑦_____です。

メールの送信者のなりすましを防ぐために，メールの送信者を送信サーバが認証するのが⑧_____です。また，送信側のDNSに⑨_____レコードを付加する方法もあります。

答え	① URL	② プロトコル	③ ドメイン	④ URI	⑤ CGI
	⑥ MIME	⑦ S/MIME	⑧ SMTP-AUTH	⑨ SPF	

7
ネットワーク技術

🐾 メールヘッダ

① _____	一つのメールを複数に送る場合の宛先
② _____	一つのメールを複数に送る場合の宛先 （この部分は受信者には送信されない）
③ _____	メールサーバが付加するメールの送信者
④ _____	メール作成時使用したメールソフト
⑤ _____	メールがたどってきた経路のサーバ

答え　①Cc　②Bcc　③Return-Path　④X-Mailer　⑤Received

🐾 ネットワーク管理

　①_____は，ソフトウェアにより，ネットワーク機器を集中的に制御して，ネットワークの構成や設定を②___的に変更する技術の総称です。

答え　①SDN　②動

🐱 知っ得情報 ◀ エラーメール ▶

　メールを送信したあと，「Returned mail」のようなタイトルがついたメールが「MAILER-DAEMON」から送られてくることがあります。これは，メールサーバがユーザに戻すエラーのメッセージで，利用者が送ったメールが何らかの原因で送信されていないことを示します。以下のようなものがあります。

- ・ Host unknown：@より後の部分 (ホスト名) が存在しない
- ・ User unknown：@より前の部分 (ユーザ名) が存在しない

これらの場合は，メールアドレスがすでに無効になっているか，入力ミスが原因ですので，確認して入力し直します。

第 8 章

情報セキュリティ
【 科目 A・B 】

情報セキュティ

①＿＿＿＿＿＿は，組織がもつ情報のことです。これに攻撃を加えて，業務遂行に好ましくない影響を与える原因となるものが，②＿＿＿＿で，情報資産や管理策に内在している弱点である③＿＿＿＿＿＿＿を突いてきます。

ISMSは，④＿＿＿＿＿＿＿＿＿＿＿＿＿＿＿と訳されます。

⑤＿＿＿＿＿＿＿＿＿は，組織における情報セキュリティに対する取り組みに対して，ISMS認定基準の評価事項に適合していることを特定の第三者が⑥＿＿＿＿＿して認定する制度のことです。

なお，国内において，⑦＿＿＿＿＿＿＿シリーズがISMSの規格となっています。

情報セキュリティで維持する特性には次のものがあります。

⑧＿＿＿性	認可された者だけが情報を使用できる
⑨＿＿＿性	情報が正確・完全である
⑩＿＿＿性	必要なときにいつでも情報を使用できる
⑪＿＿＿性	主張するとおりの本物である
⑫＿＿＿性	意図したとおりの結果が得られる
⑬＿＿＿＿性	後で追跡できる
⑭＿＿＿＿	後で否定されない

システムの企画設計段階から情報セキュリティ対策を組み込む考え方を⑮＿＿＿＿＿＿＿＿＿＿＿といいます。

答え	①情報資産	②脅威	③脆弱性
	④情報セキュリティマネジメントシステム		⑤ISMS適合評価制度
	⑥審査	⑦JIS Q 27000	⑧機密
	⑨完全	⑩可用	⑪真正
	⑫信頼	⑬責任追跡	⑭否認防止
	⑮セキュリティバイデザイン		

リスクマネジメント

①_____は，組織が損失を被る可能性です。リスクを組織的に管理していくことを②_____と呼びます。リスクアセスメントとリスク対応に大別されます。

情報資産に対するリスクを分析・評価して，リスク受容基準に照らして対応が必要かどうかを判断していくことを③_____といいます。

リスク④_____	組織に存在するリスクを洗い出す
リスク⑤_____	発生確率と影響度からリスクレベルを算定する
リスク⑥_____	リスクレベルとリスク受容基準を比較して，リスク対策が必要かを判断し優先順位をつける

実際にどのような対応を選択するかを決定するのが⑦_____です。リスクの発生確率や大きさを小さくする⑧_____と，金銭的な手当てをする⑨_____とに大別されます。

リスク⑩_____	リスクの損失額や発生確率を縮小
リスク⑪_____	リスクの原因を除去
リスク⑫_____	リスクを第三者へ移転・転嫁（第三者と共有）
リスク⑬_____	許容範囲として保有・受容

8
情報セキュリティ

答え	①リスク	②リスクマネジメント	③リスクアセスメント
	④特定	⑤分析	⑥評価
	⑦リスク対応	⑧リスクコントロール	⑨リスクファイナンシング
	⑩軽減	⑪回避	⑫移転
	⑬保有		

情報セキュリティを守る体制

情報セキュリティポリシーは，情報セキュリティを確保するための方針や体制，対策等を包括的に定めた文書で，内外に示す①_____，項目ごとの判断を記述した②_____，具体的手順の③_____で構成されます。

④_____は，情報セキュリティマネジメントの基本的な枠組みと具体的な管理項目が規定されています。

さらに，⑤_____を定め，組織で扱う個人情報の扱い方について規定を設けることもあります。

⑥_____は，企業や官公庁などに設けるセキュリティ対策チームのことです。

答え	①基本方針	②対策基準	③実施手順
	④情報セキュリティ管理基準	⑤プライバシポリシー	⑥CSIRT

脅威とマルウェア

🐾 脅威

　①_____的脅威は，災害による機器の故障，侵入者による物理的破壊や妨害行為などによる脅威です。

　②____的脅威は，操作ミス・紛失・③_____関係者による不正使用・怠慢など，人による脅威です。このうち，人の心理や行動の隙をついて機密情報を入手することを④_____といいます。対策のためには，離席時に画面をロックする⑤_____，机を整頓する⑥_____が有効です。

　不正行為は，⑦_____・⑧_____・⑨_____の三つが揃ったときに行われるという，不正のトライアングル理論が知られています。この対策として実施者と承認者を別の人にする⑩_____があります。

　⑪_____的脅威は，コンピュータウイルスやサイバー攻撃などのIT技術を使った脅威です。⑫_____は，悪意を持って作成された不正なプログラムの総称です。

答え	①物理　②人　③内部　④ソーシャルエンジニアリング ⑤クリアスクリーン　⑥クリアデスク　⑦機会　⑧動機 ⑨正当化　⑩職務分掌　⑪技術　⑫マルウェア

マルウェア

①_____	自己伝染・潜伏・発病のうち，一つ以上の機能で意図的に何らかの被害を及ぼす
②_____	ワープロソフトや表計算ソフトなどのマクロ機能を悪用する
ワーム	ネットワークなどを媒介として，自ら感染を広げる③_____機能をもつ
④_____	PCをネットワークを通じて外部から操る。外部から悪意のある命令を出すサーバを⑤_____という
⑥_____	有益なソフトウェアと見せかけて待機した後，悪意のある動作をする
⑦_____	利用者の個人情報やアクセス履歴などの情報を収集する
⑧_____	勝手にPCのファイルを暗号化して読めなくし，戻す対価として金銭を要求する。⑨_____機能のある媒体へのバックアップで対策
⑩_____	キーボードの入力履歴を不正に記録し，利用者IDやパスワードを盗み出す
⑪_____	⑫_____（侵入するための裏口のアクセス経路）を作り，侵入の痕跡を隠蔽するなどの機能を持つ不正なプログラム

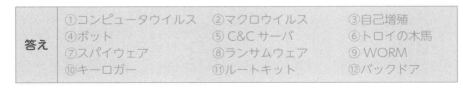

答え	①コンピュータウイルス ②マクロウイルス ③自己増殖 ④ボット ⑤C&Cサーバ ⑥トロイの木馬 ⑦スパイウェア ⑧ランサムウェア ⑨WORM ⑩キーロガー ⑪ルートキット ⑫バックドア

🐍 マルウェア対策

①_____は，社員が許可を得て私物のPCやスマートフォンなどの情報端末を業務に利用することです。

②_____は，社員が許可を得ずに私物の端末やクラウドサービスを業務に使うことです。

③_____は，企業が社員などに貸与するスマートフォンの設定やアプリケーションを一元管理する仕組みです。

④_____は，マルウェアを検知してコンピュータを脅威から守り，安全性を高めるソフトウェアの総称です。検査対象と既知ウイルスの⑤_____と比較して，ウイルスを検出する⑥_____方式，仮想環境で実際に検査対象を実行して，その挙動を監視する⑦_____方式があります。

⑧_____は，OSやソフトウェアに潜むセキュリティ上の脆弱性のことです。⑨_____と呼ばれる修正プログラムが提供されたら迅速に反映させます。ベンダから提供される前に，セキュリティホールを突く攻撃は，⑩_____です。

⑪_____は，有害なのに無害と判断することです。

答え	
① BYOD　　②シャドーIT　　③ MDM	
④ウイルス対策ソフト　⑤シグネチャコード　　⑥パターンマッチング	
⑦ビヘイビア　　⑧セキュリティホール　⑨セキュリティパッチ	
⑩ゼロデイ攻撃　　⑪フォールスネガティブ	

8
情報セキュリティ

🐱(得) 知っ得情報 ◆JPCERT/CC◆

Japan Computer Emergency Response Team Coordination Center。政府機関や企業から独立した組織であり，国内のセキュリティインシデントに関する報告の受付，対応の支援，発生状況の把握，手口の分析，再発防止策の検討や助言を行います。

8 / 03 サイバー攻撃

標的型攻撃

①_____攻撃は，インターネットなどを通じてコンピュータシステムに侵入し，クラッキングを行うことです。

②_____攻撃は，特定の官公庁や企業など，標的を決めて行われる攻撃です。

③_____攻撃は，特定の組織を標的に，複数の手法を組み合わせて気付かれないよう執ように攻撃を繰り返します。

④_____攻撃は，特定の組織によく利用される企業などのWebサイトにウイルスを仕込み感染させます。

答え	①サイバー ②標的型 ③ APT ④水飲み場型

パスワードクラック攻撃

①_____は，パスワードを割り出すことです。

②_____攻撃は，辞書にある単語やその組合せをパスワードとして，ログインを試行することです。英数字などを組み合わせたパスワードを総当たりして，ログインを試行することを③_____攻撃といいます。逆に，よく用いられるパスワードを一つ定め，文字を組み合わせた④_____を総当たりして，ログインを試行することを⑤_____攻撃といいます。

⑥_____攻撃は，不正に取得した他サイトの利用者IDとパスワードの一覧表で，ログインを試行することです。

答え	①パスワードクラック ②辞書 ③ブルートフォース ④利用者 ID ⑤リバースブルートフォース ⑥パスワードリスト

サービスを妨害する攻撃

①_____攻撃は，特定のサーバなどに大量のパケットを送りつけることで想定以上の負荷を与え，サーバの機能を停止させる攻撃です。さらに，複数のコンピュータから一斉に攻撃するのは，②_____攻撃と呼ばれています。

対策として，不正な通信を検知して管理者に通報する③_____や，検知だけでなく遮断まで行う④_____の導入が有効です。

| 答え | ① Dos | ② DDos | ③ IDS | ④ IPS |

不正な命令による攻撃

①_____は，脆弱なWebサイトに対して，有害な文字列を送ることで，利用者のブラウザで実行させる攻撃です。

対策として，有害な入力を無害化する②_____を行います。その一つとして③_____があります。また，Webアプリケーション専用のファイアウォール（④_____）を導入します。

⑤_____は，脆弱なWebアプリケーションの入力領域に，悪意のある問合せや操作を行う命令文を注入することで，管理者が意図しないSQL文を実行させる攻撃です。

⑥_____は，SQLの命令と解釈されることを防ぐために使います。

⑦_____は，パス名を使ってファイルを指定し，不正に閲覧する攻撃です。

⑧_____は，Webサーバ上で不正にOSコマンドを実行する攻撃です。

8

情報セキュリティ

答え	①クロスサイトスクリプティング	②サニタイジング
	③エスケープ処理	④WAF
	⑤SQLインジェクション	⑥プレースホルダ
	⑦ディレクトリトラバーサル	⑧OSコマンドインジェクション

なりすましによる攻撃

①_____は，攻撃者が正規の利用者を装い，情報資産の窃取や不正行為などを行う攻撃です。

②_____は，利用者とWebサイト間の一連の通信を乗っ取り，正規の利用者になりすます攻撃です。

③_____は，PCが参照するDNSサーバに偽のドメイン情報を注入し，利用者を偽装されたサーバに誘導する攻撃です。

④_____は，検索サイトの順位付けアルゴリズムを悪用し，悪意のあるWebサイトが，検索結果の上位に表示されるようにする攻撃です。

⑤_____は，送信元IPアドレスを詐称して，標的のネットワーク上のホストになりすまして接続する攻撃です。

⑥_____は，公衆無線LANになりすまし，偽のアクセスポイントに誘導する攻撃です。

答え	①なりすまし	②セッションハイジャック
	③DNSキャッシュポイズニング	④SEOポイズニング
	⑤IPスプーフィング	⑥Evil Twins攻撃

🥸 その他の攻撃

①_____は，Webサイトを閲覧したときに，PC
にマルウェアをダウンロード・感染させる攻撃です。

②_____は，電子メールを送信し，偽のWebサイトにアク
セスさせ，個人情報をだまし取る攻撃です。

③_____は，入力用のデータ領域を超えるサイズ
のデータを入力することで，想定外の動作をさせる攻撃です。

④_____は，罠_{わな}サイト上に著名なサイトのボタンを
透明化して配置し，意図しない操作をさせる攻撃です。

⑤_____は，Webページなどに，アクセス動向などを収
集するために埋め込まれた利用者には見えない小さな画像です。

⑥_____は，サイバー攻撃の前に情報収集すること
です。そのうち，サーバの各ポートの応答からOSのバージョンなど
の情報を調査する行為を⑦_____といいます。

⑧_____は，コンピュータ犯罪の証拠となる電
子データを集め，解析することです。

答え	①ドライブバイダウンロード	②フィッシング
	③バッファオーバフロー	④クリックジャッキング
	⑤Webビーコン	⑥フットプリンティング
	⑦ポートスキャン	⑧デジタルフォレンジクス

8

情報セキュリティ

🗝 データの暗号化

ネットワーク経由のデータの送受信では①_____ ・②_____ ・
③_____などの脅威があります。

暗号化は，人が容易に解読できる平文を「④_____」
と「暗号化鍵」を使って，容易に解読できない暗号文に変換すること
です。復号は，「復号アルゴリズム」と「⑤_____」を使って，暗号
文を再び元の平文に戻すことです。

答え	①盗聴　　②なりすまし　　③改ざん　　④暗号化アルゴリズム ⑤復号鍵

🗝 暗号方式の特徴

共通鍵暗号方式には次の特徴があります。

＊暗号化鍵と復号鍵は①_____

＊鍵の配布と管理が②_____

＊共通の③_____鍵で暗号化して，共通の④_____鍵で復号する

＊暗号化/復号の処理が⑤____い

＊代表例は⑥_____

公開鍵暗号方式には次の特徴があります。

＊暗号化鍵と復号鍵は⑦_____

＊鍵の配布と管理が⑧_____

＊⑨____信者の⑩_____鍵で暗号化して，⑪____信者の⑫_____
　鍵で復号する

＊暗号化/復号の処理が⑬＿＿＿い

＊代表例はRSA・⑭＿＿＿＿＿＿＿＿

答え	①共通	②煩雑	③秘密	④秘密	⑤速	⑥ AES
	⑦異なる	⑧容易	⑨受	⑩公開	⑪受	⑫秘密
	⑬遅	⑭楕円曲線暗号				

🦋 デジタル署名

デジタル署名は，「電子文書の作成者が①＿＿＿＿であるかを②＿＿信者が確認できる」のと同時に，「電子文書の内容が③＿＿＿＿＿されていないことを④＿＿信者が確認できる」仕組みです。

デジタル署名は，「⑤＿＿信者の⑥＿＿＿鍵」で署名し，対となる「⑦＿＿信者の⑧＿＿＿鍵」で検証します。

電子文書の改ざん検知には，その文書を⑨＿＿＿＿＿＿します。そのための関数としては⑩＿＿＿＿＿があります。

⑪＿＿＿＿＿は，電子契約に法的効力をもたせるための法律です。

⑫＿＿＿＿＿＿＿＿＿は，データを固定長のブロックに分割して，それぞれ個別に暗号化することです。

答え	①本人	②受	③改ざん
	④受	⑤送	⑥秘密
	⑦送	⑧公開	⑨ハッシュ化
	⑩ SHA	⑪電子署名法	⑫ブロック暗号方式

8

情報セキュリティ

認証技術

認証技術

①_____は，第三者機関としてデジタル証明書を発行して，公開鍵の正当性を証明します。②_____は証明書失効リストです。③_____は，インターネット上で安全な通信ができるセキュリティ基盤です。

メッセージ認証は，④_____鍵を用いて，メッセージの内容が⑤_____されていないことを確認する仕組みです。

答え	①認証局	②CRL	③PKI	④共通	⑤改ざん

SSL

SSLは，①_____上での通信を暗号化するプロトコルです。HTTPに実装したものが②_____です。③_____は，SSLを標準化したもので，④_____と呼ぶこともあります。

SSLでは，データの暗号化/復号には⑤_____暗号方式を，鍵の配布には⑥_____暗号方式を使うハイブリッド方式が使われています。

⑦_____はPCの起動前にOSなどの署名を確認することです。

⑧_____は，PCなどに組み込むセキュリティチップのことです。

⑨_____は，外部からの不正アクセスに強い性質です。

答え	①インターネット	②HTTPS	③TLS	④SSL/TLS
	⑤共通鍵	⑥公開鍵	⑦セキュアブート	⑧TPM
	⑨耐タンパ性			

利用者認証と ネットワークセキュリティ

利用者認証

　利用者認証は，システムを使用する際に，利用者が使用することを許可されている本人であるかを確認することです。

　利用者IDとパスワードの組み合わせは，昔からの認証方法ですが，よりセキュリティを高めるために，最近は，①_____・②_____・③_____情報のうち二つ以上の異なる認証を組み合わせる④_____認証が行われます。

　⑤_____は，1回限りのパスワードです。

　バイオメトリクス認証には，⑥_____的な特徴を使った認証と⑦____＿＿的な特徴を使った認証があります。本人を誤って拒否する確率（⑧__＿＿＿＿）と，他人を誤って許可する確率（⑨_____）を調整します。

　⑩_____は，自動入力を排除する技術です。

　⑪_____は，ネットワーク上にパスワードを流すことなく認証する方法です。

　⑫_____は，1回の認証で複数のサービスを利用できる仕組みです。

　⑬_____認証は，普段と異なる環境からのアクセスに追加認証を課して不正アクセスを防ぐ仕組みです。

答え	①記憶　②所有物　③生体　④多要素　⑤ワンタイムパスワード ⑥身体　⑦行動　⑧FRR　⑨FAR　⑩CAPTCHA ⑪チャレンジレスポンス認証　⑫シングルサインオン ⑬リスクベース

ネットワークセキュリティ

①＿＿＿＿＿＿＿＿＿＿は，インターネットと内部ネットワークの境界に配置し，外部からの不正アクセスを防止します。パケットの②＿＿＿＿＿＿で通過の可否を決定する方式が③＿＿＿＿＿＿＿＿＿＿＿＿です。

④＿＿＿＿＿＿は，インターネットと内部ネットワークの両方から隔離されたセグメントのことです。

⑤＿＿＿＿＿＿プロキシサーバは，内部ネットワークのクライアントの代わりにインターネットに接続するサーバです。

⑥＿＿＿＿＿＿プロキシサーバは，外部からのアクセスの負荷分散を行います。

⑦＿＿＿＿＿＿＿は内側と外側を区別せず検査する考え方です。

答え	①ファイアウォール	②ヘッダ	③パケットフィルタリング
	④DMZ	⑤フォワード	⑥リバース
	⑦ゼロトラスト		

その他のセキュリティ対策

①＿＿＿＿＿＿は，複数のセキュリティ機能を1台に統合した製品です。

②＿＿＿＿＿＿は，セキュリティ上の脅威となる事象をいち早く検知して分析するツールです。

③＿＿＿＿＿＿は，サイバー攻撃を監視する外部の事業者です。

④＿＿＿＿＿＿＿＿＿＿は，システムを実際に攻撃して，セキュリティホールや設定ミスの有無を確認する検査手法です。

⑤＿＿＿＿＿＿＿は，問題を引き起こしそうなデータを，多様なパターンで大量に入力して挙動を観察し，脆弱性を見つける検査手法です。

答え	①UTM	②SIEM	③SOC
	④ペネトレーションテスト	⑤ファジング	

第 9 章

システム開発技術
〔科目 A〕

学習日　　月　　日

情報システム戦略

　情報システム戦略では，①＿＿＿＿＿＿に基き，②＿＿＿＿＿＿＿の観点から情報システム全体のあるべき姿を明確にします。

　③＿＿＿＿＿＿＿＿＿＿＿は，情報システムの管理を効果的に行うための実践規範を，経済産業省が体系的にまとめたものです。

　④＿＿＿＿＿は，全社的な観点から情報戦略を立案し，経営戦略との整合性の確認・評価を行う役員です。

　⑤＿＿＿＿ガバナンスは，情報システム戦略の策定と実行をコントロールする組織の能力です。

　⑥＿＿＿＿＿＿＿＿＿＿＿＿＿＿＿＿は，各業務と情報システムを，全体最適化の観点から見直すための技法です。現状の姿（⑦＿＿＿＿＿＿モデル）と，理想の姿（⑧＿＿＿＿＿＿モデル）との差を分析（⑨＿＿＿＿＿＿＿＿）しながら，業務とシステムを同時に改善していきます。

⑩＿＿＿＿＿・⑪＿＿＿＿＿・⑫＿＿＿＿＿＿＿＿＿・⑬＿＿＿＿＿＿＿
のアーキテクチャの体系で分析します。

答え	①経営戦略	②全体最適化	③システム管理基準
	④ CIO	⑤ IT	⑥エンタープライズアーキテクチャ
	⑦ As-Is	⑧ To-Be	⑨ギャップ分析
	⑩ビジネス	⑪データ	⑫アプリケーション
	⑬テクノロジ		

SLCP

①_____は，ソフトウェアライフサイクルプロセス全般にわたって「共通の物差し」となるガイドラインです。

②_____→③_____→開発→運用→④_____というプロセスがあります。

⑤_____プロセスでは，経営上のニーズに基づいたシステムの全体最適化を図る⑥_____や，さらに管理体制，スケジュールなどを具体化する⑦_____を立案します。

⑧_____プロセスでは，構築するシステムの機能や性能を明らかにして，利害関係者間で合意します。業務上実現すべき要件である⑨_____要件を整理・把握し，その実現のために必要なシステムの機能である⑩_____要件を定義します。あわせて，機能要件以外の性能や信頼性，セキュリティなどの⑪_____要件を定義します。

答え	①共通フレーム ②企画 ③要件定義 ④保守 ⑤企画 ⑥システム化構想 ⑦システム化計画 ⑧要件定義 ⑨業務 ⑩機能 ⑪非機能

9

システム開発技術

調達計画・実施

情報提供依頼書（①_____）は，ベンダ企業に対して，システム化の目的や業務内容などを示し，利用可能な技術や製品，導入実績などの実現手段に関する情報提供を依頼することです。

提案依頼書（②_____）は，③_____が作成します。ベンダ企業に対して，対象システムの基本方針や調達条件などを示し，提案書の提出を依頼する文書です。

④_____は，ベンダ企業が作成し，開発体制やシステム構成，開発手法などを検討し，提案します。

⑤_____は，ベンダ企業が作成し，システムの開発や運用，保守な

どにかかる費用を提示します。

⑥＿＿＿＿＿は，企業間でお互いに知り得た相手の秘密情報の守秘義務について定める契約です。

答え	① RFI	② RFP	③依頼元	④提案書	⑤見積書	⑥ NDA

企業の社会的責任

①＿＿＿＿＿は，企業が本来の営利活動とは別に，社会の一員として社会的責任を果たすことです。環境への配慮を行っている情報通信機器を選定する②＿＿＿＿＿＿＿もその一つです。国の機関は，③＿＿＿＿＿＿＿＿＿＿により④＿＿＿＿＿＿＿を義務付けられています。

⑤＿＿＿＿＿＿＿＿＿＿＿＿は，商品のサプライチェーンで排出される二酸化炭素の排出量です。

答え	① CSR	②グリーン IT	③グリーン購入法
	④グリーン購入	⑤カーボンフットプリント	

9 02 ソフトウェア開発

🛠 ソフトウェア開発工程

　ソフトウェア開発では，開発者が利用者の要件を取り入れながら，次のような各工程を順番に実施していきます。

①＿＿＿＿＿＿＿＿＿＿	システム化する目的や対象範囲を明確にし，必要な機能や性能を定義
②＿＿＿＿＿＿＿＿＿＿	利用者の視点からソフトウェアに要求される機能や性能を検討
③＿＿＿＿＿＿＿＿＿＿	開発者がシステム要件をシステムでどのように実現できるかを検討
④＿＿＿＿＿＿＿＿＿＿	開発者の視点から，ソフトウェア要件をソフトウェアでどのように実現できるかを検討
⑤＿＿＿＿＿＿＿＿＿＿	開発者がプログラムを作成
テスト	各種テスト

答え	①システム要件定義　　　　　②ソフトウェア要件定義 ③システム設計　　　　　　　④ソフトウェア設計 ⑤実装・構築

9

システム開発技術

ソフトウェア開発手法

①＿＿＿＿＿＿＿＿＿＿モデルは，上位工程から下位工程へ順番に進めていく開発手法です。開発全体の進捗が把握しやすいですが，②＿＿＿＿＿＿＿が発生すると，それにかかるコストと時間が膨大になります。③＿＿規模なシステム開発に向きます。

答え	①ウォータフォール	②仕様変更	③大

アジャイル開発

　アジャイル開発は，短いサイクルの①＿＿＿＿＿＿＿＿＿を繰り返し，段階的にシステム全体を完成させていく開発手法です。仕様変更に対応できますが，開発全体の進捗が把握しにくいです。②＿＿＿規模なシステム開発に向きます。

　XPは，③＿＿＿＿＿＿＿＿＿＿と呼ばれる短いサイクルで，動作するプログラムを作成することを繰り返します。2人1組となってプログラミングをする④＿＿＿＿＿＿＿＿＿＿＿，外部仕様を変えずプログラムの内部構造を変更する⑤＿＿＿＿＿＿＿＿＿＿，テストケースを先に設定する⑥＿＿＿＿＿＿＿＿＿＿が特徴です。

　⑦＿＿＿＿＿＿＿開発もスプリントと呼ばれる短いサイクルで動作するプログラムを作成することを繰り返します。⑧＿＿＿＿＿＿＿の高い機能から作成する，毎日ミーティング（⑨＿＿＿＿＿＿＿＿＿＿）するという特徴があります。優先順位は⑩＿＿＿＿＿＿＿＿＿＿＿が決め，開発のプロセスは⑪＿＿＿＿＿＿＿＿＿＿が進めます。

　スプリントの終わりのふりかえり（⑫＿＿＿＿＿＿＿＿＿＿）で，改善事項を検討します。

　⑬＿＿＿＿＿＿＿＿＿＿は，スクラム開発の見積り手法です。

答え	①開発工程　　　　　　　②小　　　　　　　　③イテレーション ④ペアプログラミング　⑤リファクタリング　⑥テストファースト ⑦スクラム　　　　　　　⑧優先順位　　　　　⑨デイリースクラム ⑩プロダクトオーナー　⑪スクラムマスター　⑫レトロスペクティブ ⑬プランニングポーカー

🐾 その他の開発手法

　①_____モデルは，試作品を作成して，利用者の確認を得ながら開発を進めていく開発手法です。

　②_____は，既存のプログラムを解析して，プログラムの仕様と設計書を取り出す開発手法です。

　③_____は，開発部門と運用部門が緊密に連携して協力する開発手法です。

　④_____は，システム開発組織におけるプロセス成熟度を評価するモデルです。

答え	①プロトタイピング　　　　　②リバースエンジニアリング ③ DevOps　　　　　　　　　④ CMMI

9

システム開発技術

9 03 オブジェクト指向

オブジェクト指向

オブジェクトは，①_____（属性）とそれを操作する②_____（手続）を一体化したものです。オブジェクト内のデータとメソッドを，外部から隠蔽することを③_____といいます。

オブジェクトの中身を知らなくても，④_____を送ることで必要な操作ができます。

⑤_____は，オブジェクトのひな型を定義したもので，それを基にして生成されたオブジェクトが⑥_____です。

答え	①データ　②メソッド　③カプセル化　④メッセージ　⑤クラス ⑥インスタンス

ポリモフィズム

既存のクラスを基にして，新しいクラスを生成できます。基となるクラスを①_____（基底クラス），新しく生成したクラスを②_____（派生クラス）といいます。③_____（インヘリタンス）は，基のクラスのデータやメソッドを派生クラスに引き継ぐことです。

基のクラスのメソッドを一部変えて使いたいときは，サブクラスに同じ名前で内容を変えて再定義する④_____を行います。これは⑤_____（多相性・多態性）と呼ばれています。

⑥_____は，あるオブジェクトに依頼されたメッセージの処理を，そのオブジェクトの内部から他のオブジェクトに委ねることです。

答え	①スーパクラス　②サブクラス　③継承　④オーバライド ⑤ポリモフィズム　⑥委譲

クラスの階層化

①_____は，下位クラスの共通部分を抽出して上位クラスを定義することであり，その逆を②_____といいます。③_____は，上位クラスが下位クラスの組合せで構成されていることであり，その逆を④_____といいます。

答え	①汎化　②特化　③集約　④分解

プチ問題

植物・葉・チューリップの関係について考える。

"葉"は"植物"を①_____したものである。

"チューリップ"は植物"を，②_____したものである。

"植物"を継承できるのは，③_____である。

答え	①分解　②特化　③チューリップ

業務モデリング

①＿＿＿＿＿＿＿＿は，業務の一連の流れのことです。既存の業務プロセスの分析のために，対象業務の②＿＿＿＿化を行います。

③＿＿＿＿は，業務プロセスを再設計し，ITを十分に活用して，企業の体質や構造を抜本的に変革することです。これを継続的に改善していく管理手法は④＿＿＿＿と呼ばれています。

⑤＿＿＿＿は，業務プロセスのデータの流れをモデル化したものです。

⑥＿＿＿＿は，オブジェクト指向におけるシステム開発で利用され，統一した表記法でモデル化したものです。

⑦＿＿＿＿＿＿＿図は，システムが外部に提供する機能と，その利用者や外部システムとの関係を表現した図です。

インスタンス間の関係は⑧＿＿＿＿＿＿＿図で，クラス間の関係は⑨＿＿＿＿＿図で表します。

⑩＿＿＿＿＿＿＿＿図は，ある振る舞いから次の振る舞いへの制御の流れを表現した図です。⑪＿＿＿＿＿＿＿＿＿図は，オブジェクト間の接続関係に焦点を置きます。⑫＿＿＿＿＿＿＿図は，オブジェクト間のメッセージの流れを時系列に表した図です。

答え	①業務プロセス	②モデル	③BPR
	④BPM	⑤DFD	⑥UML
	⑦ユースケース	⑧オブジェクト	⑨クラス
	⑩アクティビティ	⑪コミュニケーション	⑫シーケンス

ユーザインタフェース

🧷 ユーザインタフェース

　ソフトウェア要件定義（外部設計）では①_____の視点から，ソフトウェア設計（内部設計）では②_____の視点から，設計を行います。

　画面設計や帳票設計の際は，事前にレイアウトやデザイン，タイトルの位置，文字などを共通化しておきます（③_____）。

　Webサイトの場合は，トップページからそのページへの経路情報である④_____を表示します。

　画面上のアイコンやボタン，メニューなどをマウスでクリックすることで，視覚的に操作するインタフェースを⑤_____といいます。

⑥_____	互いに排他的な項目から一つを選択
⑦_____	項目を選択
⑧_____	特定の連続する値を増減
⑨_____	上から垂れ下がるように表示
⑩_____	画面から浮き出るように表示

　⑪_____は，人がある物に対して与える行動の可能性です。

　⑫_____は，特定の行動を誘発させる手がかりです。

答え			
	①利用者	②開発者	③標準化
	④パンくずリスト	⑤GUI	⑥ラジオボタン
	⑦チェックボックス	⑧スピンボタン	⑨プルダウンメニュー
	⑩ポップアップメニュー	⑪アフォーダンス	⑫シグニファイア

9 システム開発技術

🦋 ユニバーサルデザイン

①＿＿＿＿＿＿＿＿＿＿は，国籍や年齢，性別，身体的条件などに関わらず，誰もが使える設計のことです。

②＿＿＿＿＿＿＿＿は，誰もが情報サービスを支障なく操作または利用できる度合いのことです。

③＿＿＿＿＿＿＿は，利用者がどれだけストレスを感じずに，目標とする要求が達成できる度合いのことです。

④＿＿＿は，使いやすさや機能にとどまらず，使うことで利用者が楽しく快適な体験ができるかどうかまでを含んでいます。

答え	①ユニバーサルデザイン　②アクセシビリティ　③ユーザビリティ ④UX

🦋 入力チェック

①＿＿＿＿＿＿チェック	数値以外のものがないか
②＿＿＿＿＿チェック	決められた順番に並んでいるか
③＿＿＿チェック	重複したデータが存在しないか
④＿＿＿＿＿チェック	決められた形式にあっているか
⑤＿＿＿チェック	データが論理的に矛盾しないか
⑥＿＿＿＿チェック	値が一定の範囲内にあるか
⑦＿＿＿チェック	ファイルに存在するか

⑧＿＿＿＿＿＿＿＿検査は，入力データの数値から検査文字を求めデータの末尾に付加して，入力ミスを確認します。

答え	①ニューメリック　②シーケンス　③重複　④フォーマット ⑤論理　⑥リミット　⑦照合　⑧チェックディジット

 プチ問題

　データを7394，重み付け定数を1234，基数を11とする。次の方式によって求められるチェックディジットは？

(1) データと重み付け定数の各桁の積を求め，その和を求める。
(2) 和を基数で割って，余りを求める。
(3) 基数から余りを減じた結果の1の位をチェックディジットとする。

データ	7	3	9	4
重み付け定数	1	2	3	4
各桁の積	①____	②____	③____	④____
和	⑤____			
基数	11			
和÷基数	余り　⑥____			
基数−余りの1の位	⑦____			

答え	①7　②6　③27　④16　⑤56　⑥1　⑦0

構造化設計

①＿＿＿＿＿＿は，大きな機能から段階的に詳細化していく設計手法
です。②＿＿＿＿＿＿＿は，ある機能の実現のために部品化された
プログラムです。③＿＿＿＿＿はプログラムを構成する最小単位で，
独立性が④＿＿くなるように設計します。モジュール⑤＿＿＿度は一つ
のモジュール内に含まれる機能間の関連性の度合いで，⑥＿＿いほど
独立性が高くなります。モジュール⑦＿＿＿＿度は複数のモジュール
間の結合の度合いで，⑧＿＿いほど独立性が高くなります。

| 答え | ①構造化設計 | ②コンポーネント | ③モジュール | ④高 |
| | ⑤強 | ⑥強 | ⑦結合 | ⑧弱 |

レビュー

各工程の終わりには①＿＿＿＿＿という検討会が開かれます。

②＿＿＿＿＿＿＿は，参加者全員が順番に進行役になります。

③＿＿＿＿＿＿＿は，レビュー対象物の作成者が説明者となり，複
数の関係者が質問やコメントします。

④＿＿＿＿＿＿＿は，参加者の役割や進行役を固定します。

| 答え | ①レビュー　②ラウンドロビン　③ウォークスルー |
| | ④インスペクション |

🐾 プログラムテスト

プログラムテストの目的は，①_____を発見し，取り除くことです。テスト開始後からの累積バグ件数をグラフに表すと，②_____（ゴンペルツ曲線）と呼ばれる曲線を描きます。

③_____は，テストの条件分けやその条件ごとに期待される動きをまとめたものです。

答え	①バグ　②信頼度成長曲線　③テストケース

🐾 ソフトウェアユニットテスト

ソフトウェアユニットテスト（①_____テスト）は，プログラムを構成するモジュール単位に行うテストです。

②_____テストは，モジュールの内部構造に着目して行うテストをいい，主に③_____が実施します。次のテストケース設計の手法があります。

④_____網羅	全ての命令を少なくとも1回以上確認する
⑤_____網羅 （判定条件網羅）	全ての分岐を少なくとも1回以上確認する
⑥_____網羅	各条件式の真と偽の組合せを少なくとも1回以上確認する
⑦_____網羅	各条件式の真と偽の組合せを全て確認する

⑧_____テストは，モジュールの外部仕様に着目して行うテストをいいます。開発者以外の第三者が実施し，各テスト工程でも実施されます。次のテストケース設計の手法があります。

| ⑨_____ | 有効値と無効値の境界となる値をテストケースとする |
| ⑩_____ | 有効値と無効値のグループに分け，それぞれのグループの代表的な値をテストケースとする |

答え ①単体　②ホワイトボックス　③開発者　④命令　⑤分岐　⑥条件　⑦複数条件　⑧ブラックボックス　⑨限界値分析　⑩同値分割

ソフトウェア統合テスト

ソフトウェア統合テスト（①_____テスト）は，モジュール同士を結合して行うテストです。モジュール間の②_____を③_____が確認します。

④_____テストは，上位モジュールから下位モジュールへと順次結合して確認するテストです。下位モジュールが未完成の場合はスタブが必要です。

⑤_____テストは，下位モジュールから上位モジュールへと順次結合して確認するテストです。上位モジュールが未完成の場合はドライバが必要です。

答え ①結合　②インタフェース　③開発者　④トップダウン　⑤ボトムアップ

🌀 システムテスト

①_____テストは，システム設計で定義したテスト仕様に基づくテストです。

②_____テストは，ソフトウェア要件定義で定義したテスト仕様に基づくテストです。

システム検証テスト（③_____テスト）は，システム要件で定義したテスト仕様に基づくテストです。

次のようなテスト手法を使います。

④_____テスト	必要な機能が全て含まれているか
⑤_____テスト	処理能力や応答時間などが要求を満たしているか
⑥_____テスト	UIの使いやすさやエラーメッセージの分かりやすさなど
⑦_____テスト	誤ったデータを入力しても，エラーとして認識されるか
⑧_____テスト（ストレステスト）	大きな負荷をかけても，システムが正常に動作するか

答え	①システム統合　②ソフトウェア検証　③システム ④機能　⑤性能　⑥操作性　⑦例外処理　⑧負荷

本番移行前後のテスト

　①_____テストは，システム本番移行直前に，②_____が行うテストです。③_____が支援して本番環境や本番疑似環境下で要求通りの機能や性能を備えているか確認します。システムの納品を受諾するかどうかを検収する④_____テストを兼ねる場合もあります。

　⑤_____テストは，当初の目的を果たすシステムになっているかを確認します。

　⑥_____は，稼働中のソフトウェアに対して，発見されたバグを修正したり，新しい要件に対応したりすることです。

　⑦_____テストは，修正や変更によって，影響を受けないはずの個所に影響を及ぼしていないかを確認するテストです。

　⑧_____は，プログラムの書き方のルールです。

答え	①運用	②利用者	③開発者
	④受入れ	⑤妥当性確認	⑥ソフトウェア保守
	⑦リグレッション	⑧コーディング規約	

ソフトウェアの品質特性

①____性	仕様書どおりに操作ができ，正しく動作する
②____性	利用者にとって，理解，習得，操作が容易
③____性	必要時に使用でき，故障時には速やかに回復
④____性	処理時間，信頼性など求められる性能がある
⑤____性	プログラムの修正が容易
⑥____性	ある環境から他の環境へ移すことが容易

答え	①機能	②使用	③信頼	④効率	⑤保守	⑥移植

第10章

マネジメント系
[科目 A]

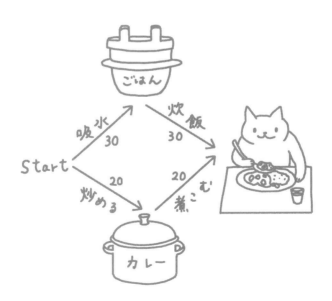

プロジェクト

プロジェクトは，特定の目標を達成するために，専門性の高い人材を集めて編成される組織です。決められた①_____と②_____で活動し，目標が達成されると解散します。プロジェクトの責任者である③_____，構成員であるプロジェクトメンバ，利害関係者である④_____から構成されます。

⑤_____は，プロジェクト管理に必要な知識を体系化したものです。プロジェクトは，「立ち上げ」から「終結」までの間，⑥_____サイクルで継続的に改善する活動です。

⑦_____マネジメントは，必要な人的・物的資源を管理します。

⑧_____マネジメントは，外部調達や契約を管理します。

⑨_____マネジメントでは，他の九つの知識エリアを統合的に管理し，調整を行います。プロジェクトを正式に認可するために必要な⑩_____の作成もここに含まれます。

⑪_____は，成果物が最新の状態を保つよう維持する活動です。

⑫_____は，実現可能性の調査です。

⑬_____は，現実の課題に基づく実践的な学習方法です。

答え	①期間	②予算	③プロジェクトマネージャ
	④ステークホルダ	⑤PMBOK	⑥PDCA
	⑦資源	⑧調達	⑨統合
	⑩プロジェクト憲章	⑪構成管理	⑫フィージビリティスタディ
	⑬アクションラーニング		

🌀 スコープマネジメント

　スコープマネジメントは，プロジェクトの作業範囲（①＿＿＿＿＿＿）を明確にする分野です。作成する成果物である②＿＿＿＿＿＿＿＿＿と，必要な作業である③＿＿＿＿＿＿＿＿＿＿＿があります。

　作業を階層構造にブレークダウンして整理した構成図が④＿＿＿＿＿で，最下層の具体的な作業を⑤＿＿＿＿＿＿＿＿＿といいます。

答え	①スコープ　　　　②成果物スコープ　　　　③プロジェクトスコープ ④WBS　　　　　⑤ワークパッケージ

🌀 コストマネジメント

　①＿＿＿＿＿＿マネジメントは，予算内で完了させるために，開発コストを積算して管理します。②＿＿＿＿＿＿＿＿＿＿＿＿＿法は，画面数・ファイル数などからソフトウェアの機能を定量的に把握し，機能の難易度を数値化して見積もる方法です。③＿＿＿＿＿＿＿＿は，過去に経験したシステムと類似している場合に，過去の実績値を基にして見積もる方法です。

　開発コストを見積もるときに，開発工数を用います。工数の単位には④＿＿＿＿＿＿などを使います。⑤＿＿＿＿＿＿＿は，システム導入から運用・維持・管理までを含めた総コストです。そのうち，システム導入時に発生する費用を初期コスト（⑥＿＿＿＿＿＿＿＿コスト），システム導入後に発生する維持管理の費用を運用コスト（⑦＿＿＿＿＿＿＿＿コスト）といいます。TCOは⑧＿＿＿＿＿＿＿＿＿＿＿とも呼ばれます。

答え	①コスト ②ファンクションポイント ③類推見積法 ④人月 ⑤TCO ⑥イニシャル ⑦ランニング ⑧ライフサイクルコスト

確認問題　A ▶ 平成28年度秋期　問53　　正解率 ▶ 中

　ファンクションポイント法で、システムの開発規模を見積もる際に必要となる情報はどれか。

ア　開発者数　　　　　　　　イ　画面数
ウ　プログラムステップ数　　エ　利用者数

要点解説　ファンクションポイント法は，帳票数，画面数，ファイル数などからソフトウェアの機能を定量化することによって，ソフトウェアの規模を見積もります。

解答

問題A：イ

🐾 工程管理

　①_____（PERT図）は，作業の順序や関連性をネットワーク状に示した図です。

　②_____は，全ての先行作業が完了し，最も早く後続作業を開始できる時点です。先行作業の完了を待って，後続作業が開始する関係を③_____関係といいます。

　④_____は，全ての後続作業の日程が遅れないように，遅くとも先行作業が完了していなくてはならない時点です。

　⑤_____は，最早開始日と最遅開始日が等しい結合点を結んだ経路です。

　予定から遅延した場合，追加で人や資金を投入することでスケジュールを短縮する⑥_____が行われます。また，前工程が完了する前に後工程を開始する⑦_____があります。

　⑧_____は，作業の予定や実績を棒状に表します。

　⑨_____は，意思決定をする中間到達点です。

　⑩_____は，時間と残作業量の関係を示します。

　⑪_____は，期間と予算の予定と実績を比較します。

答え	①アローダイアグラム ②最早開始日 ③FS ④最遅開始日 ⑤クリティカルパス ⑥クラッシング ⑦ファストトラッキング ⑧ガントチャート ⑨マイルストーン ⑩バーンダウンチャート ⑪トレンドチャート

知っ得情報 ◀ プレシデンス・ダイアグラム

　アローダイアグラムと似ていますが，作業（アクティビティ）を四角形で，順序や依存関係を矢印で表す手法です。作業間のラグなども考慮することができます。

　順序関係には「終了-開始」「開始-開始」「終了-終了」「開始-終了」の4つがあります。「終了-開始」の関係は，Aが終了したらBが開始できるという意味です。例えば，「お湯を入れ終わってから3分したら食事開始」は，終了-開始関係にあたります。

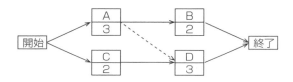

プチ問題

次のアローダイアグラムは，何日で完了する？

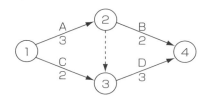

2の最早開始日は①_____日
3の最早開始日は②_____日（1→3＝③_____日，1→2→3＝④_____日
4の最早開始日は⑤_____日
（2→4＝⑥_____＋⑦_____＝⑧_____日，3→4は⑨_____＋⑩_____＝⑪_____日）
全体のプロジェクトは⑫_____日で完了する。

答え	①3	②3	③2	④3	⑤6	⑥3
	⑦2	⑧5	⑨3	⑩3	⑪6	⑫6

学習日　月　日

💭 ITサービスマネジメント

ITサービスマネジメントは，①＿＿＿＿＿＿のニーズに合ったITサービスを効果的に提供できるように管理することです。そのベストプラクティスが②＿＿＿＿＿です。

③＿＿＿＿＿＿＿＿は，ITサービスを利用する事業者と利用者との間の単一窓口です。

④＿＿＿＿サービスデスク	サービスデスクを一か所に配置
⑤＿＿＿＿＿サービスデスク	利用者の近くにサービスデスクを配置
⑥＿＿＿＿＿＿サービスデスク	サービスデスクの場所を複数に分散

答え	①利用者　　②ITIL　　③サービスデスク　　④中央 ⑤ローカル　　⑥バーチャル

💭 ITサービスマネジメントのプロセス

①＿＿＿＿＿＿＿は，ITサービスの停止・処理速度の低下など，利用者に対する正常なITサービスの妨げになる事象です。

②＿＿＿＿＿＿管理は，迅速に正常なITサービスへ復旧させることを優先します。サービスデスクだけで解決できない場合は，③＿＿＿＿＿＿＿＿により専門知識や権限のあるスタッフに解決を委ねます。

パスワードの再発行などは④＿＿＿＿＿＿と呼ばれ，インシデントとは区別されます。サービス要求に応えることを⑤＿＿＿＿＿とい

10

マネジメント系

157

い，あらかじめ決められたマニュアルに沿って処理します。

ITILに基づく認証基準として整備された⑥＿＿＿＿＿＿＿＿＿＿＿シリーズでは，インシデント管理及びサービス要求管理と呼ばれています。

⑦＿＿＿＿＿管理は，インシデントの根本的な原因を突き止め，再発を防止して，恒久的な解決策を提供するプロセスです。

⑧＿＿＿＿＿管理は，変更に伴う影響を検証・評価を行った上で，承認または却下の決定を行うプロセスです。

⑨＿＿＿＿＿＿管理は，変更管理で承認された変更を，適切な時期に本番環境に適用するプロセスです。変更の情報は，構成管理データベース（⑩＿＿＿＿＿）を利用して構成管理で管理します。

答え	①インシデント ②インシデント ③エスカレーション ④サービス要求 ⑤要求実現 ⑥ JIS Q 20000 ⑦問題 ⑧変更 ⑨リリース ⑩ CMDB

🦭 サービスレベル管理

サービスレベル管理は，①＿＿＿＿＿が要求する②＿＿＿＿＿＿＿を満たしているかを評価するプロセスです。そのためには，利用者とITサービスを提供する事業者とで，サービス範囲やレベルを定めた③＿＿＿＿＿を締結しておきます。継続的にITサービスの維持・向上を図るマネジメント活動をサービスレベルマネジメント（④＿＿＿＿＿）といいます。

⑤＿＿＿＿＿管理は，ITサービスを構成する個々の機能の維持管理を行うプロセスです。

⑥＿＿＿＿＿＿＿管理は，ITサービスに必要なネットワークやシステムなどの容量・能力を管理するプロセスです。

答え	①利用者	②サービスレベル	③ SLA
	④ SLM	⑤可用性	⑥キャパシティ

🦫 ファシリティマネジメント

ファシリティマネジメントは，経営の視点から，①_____やIT関連②_____などの保有・運用・維持管理などについて，常に監視し改善することで最適化していく経営活動です。

③_____プロテクト機能付きデバイスは，落雷によって発生する過電圧を防ぎます。

④_____は，電源の瞬断・停電時にシステムを終了させるのに必要な時間だけ電源供給することを目的とした装置です。

答え	①建物	②設備	③サージ	④ UPS

10

マネジメント系

システム監査

　システム監査は，システム監査人が監査対象から①_____した立場で行う情報システムの監査です。企業内の監査部門が行う②_____と第三者機関に依頼して行う③_____があります。

　④_____では，情報システムを管理するうえで実施すべき事項がまとめられています。

　⑤_____では，システム監査人の行為規範がまとめられています。

　「システム監査⑥_____の作成」・「システム監査の実施」・「システム監査の⑦_____」・「⑧_____」の順に実施します。

　⑨_____は，システム監査人が被監査部門から得た情報を裏付けるための文書や記録です。⑩_____は，システム監査人が行った監査業務の実施記録で，監査意見の根拠となるものです。

　⑪_____は，企業自らが業務を適正に遂行していくために，経営者の責任で体制を構築して運用する仕組みです。⑫_____で，継続的に監視・評価します。

　⑬_____は，役割分担や権限を明確にすることです。⑭_____は，株主や監査役により企業経営そのものを監督・監視する仕組みです。

答え	①独立	②内部監査	③外部監査	④システム管理基準
	⑤システム監査基準	⑥計画	⑦報告	⑧フォローアップ
	⑨監査証拠	⑩監査調書	⑪内部統制	⑫モニタリング
	⑬職務分掌	⑭コーポレートガバナンス		

第11章

ストラテジ系

[科目A]

| 問題児 | 花形 |
| 負け犬 | 金のなる木 |

学習日　　月　日

ソリューションビジネス

①_____は，自社の施設内に，自社が所有する情報システムを導入して運用することです。

②_____サービスは，サービス事業者が施設（スペース）を貸し出すサービスです。

③_____サービスは，サービス事業者が所有するサーバを貸し出すサービスです。

④_____は，インターネット経由でデータを保管するディスク領域を貸し出すサービスです。

⑤_____は，インターネット上の資源を，物理的な場所を意識することなく，利用する形態です。

答え	①オンプレミス	②ハウジング	③ホスティング
	④オンラインストレージ	⑤クラウドコンピューティング	

クラウドサービス

①_____は，サービス提供事業者がサーバやネットワークなどのインフラをネットワーク経由で提供するサービスです。

②_____は，サービス提供事業者がOSやミドルウェアなどのプラットフォームをネットワーク経由で提供するサービスです。

③_____は，サービス提供事業者がソフトウェアをネットワーク経由で提供するサービスです。

④_____は，シンクライアントシステムを外部のクラウドサービ

スで実現するものです。

クラウドサービスには，不特定多数の利用者に提供する⑤_____
____クラウドと，特定の企業だけに提供する⑥_____クラウ
ドがあります。

⑦_____は，各種のクラウドサービスやオンプレミス
を組み合わせたものです。

⑧_____は，クラウド事業者のセキュリ
ティ体制に対する認証です。

⑨_____は，ネット上で広く資金を集めることです。

⑩_____は，ネット上の公募で仕事を外部委託します。

⑪_____は，業務プロセスの機能をサービスとして部品化したもの
を組み合わせて情報システムを構築する考え方です。

⑫_____は，情報システムの企画から開発・運用・保守までの業務を
請け負うサービスです。

答え	① IaaS	② PaaS	③ SaaS	④ DaaS
	⑤パブリック	⑥プライベート	⑦ハイブリッドクラウド	
	⑧ISMS クラウドセキュリティ認証		⑨クラウドファンディング	
	⑩クラウドソーシング	⑪SOA	⑫SI	

🍃 システム活用促進

①_____は，情報を収集・評価・活用・発信する，情
報を取り扱う能力のことです。

②_____は，情報機器やインターネットを利用する能
力や機会の違いによって生じる経済的・社会的な格差です。

③_____は，定型的な操作を自動化・効率化するものです。

答え	①デジタルリテラシー	②デジタルディバイド	③RPA

11

ストラテジ系

経営組織

経営組織の代表的な形態として，次のようなものがあります。

①_____組織	仕事の性質によって，部門を編成した組織
②_____組織	社内を事業ごとに分割し，編成した組織
③_____組織	構成員が，職能部門と特定の事業を遂行する組織の両方に所属
④_____組織	特定の問題を解決するために，一定の期間に限って結成される組織

答え	①職能別	②事業部制	③マトリックス	④プロジェクト

経営戦略

　経営戦略は，企業全体を対象とした①_____戦略，個別の事業を対象とした②_____戦略，部署を対象とした③_____別戦略の視点から策定されます。

　④_____テックは，人材の採用や育成にAIやビッグデータを応用することです。

　⑤_____は，競合他社がまねのできない独自の技術などに経営資源を集中し，競争優位を確立する手法です。

　⑥_____は，優れた業績を上げている企業と比較分析する手法です。

　⑦_____は，事業や製品を，花形・負け犬・金のなる木・問題児の

四つのカテゴリに分類し，意思決定する手法です。

他企業との協力形態は以下のものがあります。

⑧＿＿＿＿＿	企業を合併・買収すること
⑨＿＿＿＿＿＿	企業同士の連携
⑩＿＿＿＿＿＿＿	外部の専門企業に委託
⑪＿＿＿＿＿＿＿＿＿	海外の企業に外部委託
⑫＿＿＿＿	自社の業務を含め外部委託

答え
①全社　②事業　③機能　④HR
⑤コアコンピタンス　⑥ベンチマーキング　⑦PPM
⑧M&A　⑨アライアンス　⑩アウトソーシング
⑪オフショアアウトソーシング　⑫BPO

🎵 事業戦略

①＿＿＿＿＿は，企業の経営環境を②＿＿＿＿環境である「強み」と「弱み」，③＿＿＿＿環境である「機会」と「脅威」の四つで分析します。

④＿＿＿＿＿＿＿＿は，製品やサービスの利益などの付加価値が，どの活動で生み出されているかを分析する手法です。

⑤＿＿＿＿＿＿は，事業を「市場浸透」・「市場開拓」・「製品開発」・「多角化」の四つに分類し，方向性を分析する手法です。

⑥＿＿＿＿＿＿は，自社を取り巻く五つの脅威を分析します。

⑦＿＿＿＿＿＿戦略は，競争のない新たな市場の開拓です。

答え
① SWOT　②内部　③外部
④バリューチェーン分析　⑤成長マトリクス
⑥ファイブフォース　⑦ブルーオーシャン

マーケティング戦略

🎗 マーケティング

マーケティング戦略において，顧客に対して精神的・主観的に満足させる①＿＿＿＿＿＿（②＿＿＿＿）も重要な要素です。

③＿＿＿＿＿＿＿＿＿＿＿＿＿は，製品を，「導入期」・「成長期」・「成熟期」・「衰退期」の四つの段階に分類し，企業にとって最適な戦略を分析する手法です。④＿＿＿＿＿＿は，企画・発売から廃棄までの一連のサイクルを通じて，製品の情報を一元管理し，商品力向上やコスト低減を図る取り組みです。

⑤＿＿＿＿＿＿は，自社が狙う市場や顧客と自社の立ち位置の分析です。

コトラーが提唱した競争戦略では，市場シェアの観点から業界トップの「リーダ」・2番手3番手の「チャレンジャ」・トップをまねる「フォロワ」・まったく別をいく「⑥＿＿＿＿＿」の四つに分類して，競争上の地位に応じた戦略をとる手法です。

⑦＿＿＿＿＿＿＿＿＿＿＿＿＿は，「製品」・「価格」・「チャネル」・「プロモーション」を適切に組み合わせて，自社製品を効果的に販売していく手法です。売り手から見た要素は⑧＿＿＿，買い手から見た要素は4Cと呼ばれています。

⑨＿＿＿＿＿＿＿＿価格決定法は，製造原価，または仕入原価に一定のマージンを乗せて価格を決定する手法です。そのほか，競争相手の価格を反映する⑩＿＿＿＿＿型や，目標とするROIを実現できる価格にする⑪＿＿＿＿＿＿＿型，一番売れそうな価格に設定する⑫＿＿＿＿＿＿型などもあります。

イノベータ理論において，初期採用層の⑬＿＿＿＿＿＿＿＿＿と，

前期追随層である⑭＿＿＿＿＿＿＿＿との間にキャズム（溝）があると言われています。

| 答え | ①顧客体験　　　　　　②CX　　　　　③プロダクトライフサイクル
④PLM　　　　　　　⑤STP分析　　⑥ニッチャ
⑦マーケティングミックス　⑧4P　　　　　⑨コストプラス
⑩競争指向　　　　　　⑪ターゲットリターン
⑫需要指向　　　　　　⑬アーリーアダプタ
⑭アーリーマジョリティ |

確認問題　A　▸ 応用情報　令和5年春問62　　正解率▸高

　B. H. シュミットが提唱したCEM (Customer Experience Management) における，カスタマーエクスペリエンスの説明として，適切なものはどれか。

ア　顧客が商品，サービスを購入・使用・利用する際の，満足や感動
イ　顧客ロイヤルティが失われる原因となる，商品購入時のトラブル
ウ　商品の購入数・購入金額などの数値で表される，顧客の購買履歴
エ　販売員や接客員のスキル向上につながる，重要顧客への対応経験

要点解説　カスタマーエクスペリエンスは顧客体験と訳されます。購買時に顧客が得られる楽しさや驚き，快適な体験のことです。

解答

問題A：ア

業績評価手法

①_____は，企業のビジョンや戦略を実現するために，「財務」・「顧客」・「業務プロセス」・「②_____」の四つの視点から，具体的に目標を設定して業績を評価する手法です。

③_____は，目指すべき最終的な目標となる数値です。④_____は，中間的な目標となる数値です。⑤_____は，最終目的を達成するために必要不可欠とされる要因です。

PDCAは，マネジメントサイクルの一つで，⑥_____（計画）→⑦_____（実行）→⑧_____（評価）→⑨_____（改善），これを繰り返すことで継続的に改善していく手法です。

| 答え | ① BSC | ②学習と成長 | ③ KGI | ④ KPI | ⑤ CSF |
| | ⑥ Plan | ⑦ Do | ⑧ Check | ⑨ Act | |

経営管理システム

①_____は，個別の顧客に関する情報や対応履歴などを一元管理し共有することで，顧客との良好な関係を築き，収益の拡大を図る手法です。「②_____管理」と訳されます。一人の顧客が企業にもたらす価値（③_____）を向上させることが目的です。

④_____は，個人がもつ営業に関する知識・ノウハウなどを一元管理し共有することで，効率的・効果的に営業活動を支援する手法です。基本機能の一つに⑤_____管理があり，顧客訪問日・営業結果などの履歴を管理し，見込客や既存客に対して効果的な営業活

動を行います。SFAは，⑥＿＿＿＿＿の一環として行われます。

　⑦＿＿＿＿＿は，部品の調達から販売までの一連のプロセスの情報を一元管理し共有することで，業務プロセスの全体最適化を図る手法です。「⑧＿＿＿＿＿管理」と訳されます。

　⑨＿＿＿＿＿は，企業の物流機能を外部の企業に委託することです。

　⑩＿＿＿＿＿は，生産・流通・販売・財務・経理などの企業の基幹業務の情報を一元管理し共有することで，企業の経営資源の最適化を図る手法です。「⑪＿＿＿＿＿＿＿」と訳されます。

　⑫＿＿＿＿＿＿＿＿＿は，社員個人がビジネス活動から得た客観的な知識や経験，ノウハウなどを一元管理し共有することで，全体の問題解決力を高める経営を行う手法です。

答え	① CRM	②顧客関係	③顧客生涯価値
	④ SFA	⑤コンタクト	⑥ CRM
	⑦ SCM	⑧供給連鎖	⑨ 3PL
	⑩ ERP	⑪企業資源計画	⑫ナレッジマネジメント

11 ストラテジ系

♨ イノベーション

①＿＿＿＿＿＿は，企業が技術開発に投資して，イノベーションを創出することで，技術革新を効果的に事業に結び付けていこうとする経営の考え方です。「②＿＿＿＿＿＿」と訳されます。

③＿＿＿＿＿＿ イノベーション	革新的な新製品を開発するといった，製品そのものに関する技術革新
④＿＿＿＿＿ イノベーション	研究開発過程，製造工程，物流過程の技術革新
⑤＿＿＿＿＿ イノベーション	既存製品の細かな部品改良を積み重ねる技術革新
⑥＿＿＿＿＿＿ イノベーション	経営構造の全面的な改革を必要とする技術革新

⑦＿＿＿＿＿＿＿＿＿＿は，優良な企業が既存製品に固執して市場の変化に対応できず，新製品に敗北してしまうことです。

⑧＿＿＿＿＿＿＿＿は，企業同士がAPIを使ってサービスを連携させることで生まれる新しい経済圏です。

⑨＿＿＿＿＿＿＿＿は，APIを使い異なるサービスの入出力を連携させ新しいサービスを構築することです。

⑩＿＿＿＿＿＿＿＿＿は，企業内部にとどまらず，他企業・他業種・大学・官公庁・地方自治体などと協力して，互いの専門知識を生かしてイノベーションを起こそうという考えです。

⑪＿＿＿＿＿＿は，短期間で課題に挑戦するイベントです。

答え	① MOT	②技術経営
	③プロダクト	④プロセス
	⑤インクリメンタル	⑥ラディカル
	⑦イノベーションのジレンマ	⑧ API エコノミー
	⑨ロジックマッシュアップ	⑩オープンイノベーション
	⑪ハッカソン	

技術開発戦略

　技術経営における課題として，①＿＿＿＿＿＿＿は，基礎研究が製品開発に結び付かないこと，②＿＿＿＿＿＿＿は，製品開発が事業に結び付かないこと，③＿＿＿＿＿＿＿＿＿は，事業化できても市場に浸透できないことをいいます。

　④＿＿＿＿＿＿＿＿＿は，技術の進歩の過程を示した曲線です。

　⑤＿＿＿＿＿＿＿は，「利用者の立場で観測する」・「潜在的な⑥＿＿＿＿＿を抽出する」・「様々な解決策を出す」・「⑦＿＿＿＿＿＿＿を作成する」・「評価して改善する」。これを繰り返し，イノベーションを生み出していくことです。

　⑧＿＿＿＿＿＿＿＿＿＿は，最小限の機能で短期間に市場に出し，改良を繰り返す手法です。

　⑨＿＿＿＿＿＿＿＿＿は，将来の技術動向を予測して進展の道筋を時間軸上に表したものです。

　⑩＿＿＿＿＿＿＿は，「複数の専門家からの意見を収集する」・「収集した意見を集約する」・「集約された意見をフィードバックする」というプロセスを繰り返すことで意見を収束させていく手法です。

答え	①魔の川	②死の谷	③ダーウィンの海
	④技術のSカーブ	⑤デザイン思考	⑥問題点
	⑦プロトタイプ	⑧リーンスタートアップ	
	⑨技術ロードマップ	⑩デルファイ法	

確認問題 A ▸ ITパスポート　令和3年度春期　問31

APIエコノミーに関する記述として，最も適切なものはどれか。

ア　インターネットを通じて，様々な事業者が提供するサービスを
　連携させて，より付加価値の高いサービスを提供する仕組み
イ　著作権者がインターネットなどを通じて，ソフトウェアのソー
　スコードを無料公開する仕組み
ウ　定型的な事務作業などを，ソフトウェアロボットを活用して効
　率化する仕組み
エ　複数のシステムで取引履歴を分散管理する仕組み

要点解説　ア　APIエコノミー　　　イ　オープンソースソフトウェア
　　　　　ウ　RPA　　　　　　　　エ　ブロックチェーン

解答

問題A：ア

🐟 e-ビジネス

①_____は，インターネット技術を活用した商取引です。「②_____
___」と訳されます。個人間取引の③_____，企業対個人取引の
④_____，企業対従業員取引の⑤_____，政府対企業間取引の
⑥_____などの取引形態があります。

⑦_____は，ネットワークを介して，商取引のためのデータをコン
ピュータ間で交換することです。

⑧_____（⑨_____）は，代金の支払いに使用可能で，電子
データでやりとりされる財産的価値です。取引履歴（⑩_____
___）を分散して持ち合うことで，改ざんなどの不正を防ぎます。取
引の計算作業に協力して報酬を得ることを⑪_____といいます。

答え	① EC	②電子商取引	③ CtoC	④ BtoC
	⑤ BtoE	⑥ GtoB	⑦ EDI	⑧暗号資産
	⑨仮想通貨	⑩ブロックチェーン	⑪マイニング	

11
ストラテジ系

Webによる販売推進

最終的に購入に至った割合を①＿＿＿＿＿＿＿＿＿率といいます。

②＿＿＿＿＿	検索エンジン最適化
③＿＿＿＿＿＿広告	検索誘導型広告
④＿＿＿＿＿＿＿	成果報酬型広告
⑤＿＿＿＿	Web上で社会的な繋がりを促進
⑥＿＿＿＿	消費者発の内容中心のメディア
⑦＿＿＿＿＿＿＿	インターネット上での直接取引

　インターネット上では，売上の少ない商品群の売上合計や利益が無視できないほどになる⑧＿＿＿＿＿＿＿が起こっています。

　⑨＿＿＿＿＿＿＿＿は，複数の販売チャネルを統合して，どの手段でも不便なく購入できるようにすることです。⑩＿＿＿＿＿は，顧客を仮想店舗と実店舗相互に誘導することです。

答え	①コンバージョン　②SEO　③リスティング ④アフィリエイト　⑤SNS　⑥CGM ⑦eマーケットプレイス　⑧ロングテール　⑨オムニチャネル ⑩OtoO

行政システム

　①＿＿＿＿＿＿＿制度は，行政を効率化し公平・公正な社会を実現する社会基盤のことです。氏名・住所・性別・生年月日と関連付けられる12桁のマイナンバー（②＿＿＿＿＿）が付与されます。

　マイナンバーカードには公的個人認証機能があり，名前・住所・生年月日・性別を含む③＿＿＿＿電子証明書と，個人情報が含まれない④＿＿＿＿＿電子証明書の2種類が記録されています。

⑤＿＿＿＿＿＿＿は，様々な交通手段をITによりサービスとして統合することです。

答え	①マイナンバー　②個人番号　③署名用　④利用者証明用　⑤MaaS

🐽 エンジニアリングシステム

①＿＿＿＿＿＿＿＿＿＿＿＿（②＿＿＿＿＿＿＿）は，必要な物を，必要な時に，必要な量だけを生産する方式です。③＿＿＿＿＿＿＿方式や，製造業以外に一般化された④＿＿＿＿＿＿＿方式とも呼ばれます。

⑤＿＿＿＿＿＿＿は，生産計画を基に，製品を生産するために必要となる部品や資材の調達や在庫管理を行う手法です。

⑥＿＿＿＿＿＿＿方式は，部品の組立てから完成検査までの全工程を，1人または数人で作業する方式です。

⑦＿＿＿＿＿＿＿は，コンピュータを使った設計作業支援です。

答え	①ジャストインタイム　②JIT　③かんばん　④リーン生産
	⑤MRP　⑥セル生産　⑦CAD

🐽 民生機器・産業機器

①＿＿＿＿＿＿＿＿＿は，特定機能用に専用化されたハードウェアと，制御するソフトウェアから構成されるシステムです。

②＿＿＿＿＿＿＿は，あらゆるモノがインターネットにつながることです。端末の近くにサーバを置いてタイムラグを減らす③＿＿＿＿＿＿＿＿＿＿＿＿＿を用いることも増えています。

④＿＿＿＿＿＿＿は，機械同士が直接通信し，高度な処理を実現することです。

家庭内の太陽光発電装置や家電・センサなどをネットワーク化する⑤＿＿＿＿＿＿＿，双方向の通信機能を備えた⑥＿＿＿＿＿＿＿＿＿，電子看板である⑦＿＿＿＿＿＿＿＿＿＿＿＿などが応用事例です。

11

ストラテジ系

175

11-06

答え	①組込みシステム	②IoT	③エッジコンピューティング
	④M2M	⑤HEMS	⑥スマートメータ
	⑦デジタルサイネージ		

確認問題 A ▶平成29年度秋期　問71　　正解率▶高

　工場の機器メンテナンス業務においてIoTを活用した場合の基本要素とデバイス・サービスの例を整理した。ア〜エがa〜dのいずれかに該当するとき，aに該当するものはどれか。

基本要素	デバイス・サービスの例
データの収集	a
データの伝送	b
データの解析	c
データの活用	d

ア　異常値判定ツール　　　　イ　機器の温度センサ
ウ　工場内無線通信　　　　　エ　作業指示用ディスプレイ

要点解説　機器の温度センサで温度を測定し，データを収集します。
工場内無線通信で，データを伝送します。
異常値判定ツールでデータを解析し，作業指示用ディスプレイに表示して，ユーザの指示を待ちます（データ活用）。

解答

問題A：イ

品質管理

品質管理手法

①＿＿＿＿＿＿＿＿は，特性と要因の関連を魚の骨のような形態に整理して体系的にまとめた図です。

②＿＿＿＿＿＿は，X軸とY軸の座標上をプロットした点のばらつき具合を表した図です。プロットした値から，全体の大まかな傾向を表す③＿＿＿＿＿＿や，特性間の関連の強弱を表す④＿＿＿＿＿＿が求められます。

⑤＿＿＿＿＿＿＿は，データを幾つかの項目に分類し，横軸方向に大きさの順に棒グラフとして並べ，累積値を折れ線グラフで表した図です。⑥＿＿＿＿＿＿＿は，パレート図を利用し重点項目を把握します。

⑦＿＿＿＿＿＿＿＿は，収集したデータを幾つかの区間に分け，各区間に属するデータの個数を棒グラフで表した図です。

⑧＿＿＿＿＿＿は，時系列データのばらつきを折れ線グラフで表した図です。

⑨＿＿＿＿＿＿＿で，ロットの不良率と検査合格率の関係がわかります。

⑩＿＿＿＿＿＿＿は，事前に考えられる様々な結果を予測し，プロセスの進行をできるだけ望ましい方向に導く手法です。

答え	①特性要因図	②散布図	③回帰直線	④相関係数
	⑤パレート図	⑥ ABC 分析	⑦ヒストグラム	⑧管理図
	⑨ OC 曲線	⑩ PDPC 法		

会計・財務

🦫 企業会計

　企業会計は，企業内部の意思決定や組織統制に使用する①_____会計と，企業外部の利害関係者 (②_____) に対して会計報告を行う③_____会計に分けることができます。企業の経営成績や財務状態を外部に公開することを④_____といいます。

答え	①管理　　②ステークホルダ　　③財務　　④ディスクロージャ

🦫 損益分岐点分析

　費用のうち，売上に関係なく一定であるものは①_____，売上に比例して増減するものは②_____と呼ばれています。

　　　利益＝売上高－総費用＝売上高－（固定費＋変動費）

　③_____での利益は0であり，損益分岐点売上高は，変動費と固定費の和に等しくなります。

　　　損益分岐点売上高＝④_____
　　　変動費率＝⑤_____

答え	①固定費　　②変動費　　③損益分岐点　　④固定費÷（1－変動費率） ⑤変動費÷売上高

🥨 財務諸表

①＿＿＿＿＿＿＿は，企業の財政状態や経営成績をステークホルダへ報告するために作成される計算書類です。

②＿＿＿＿＿＿＿は，会計期間末日時点の全ての資産・負債・純資産などを記載したものです。企業の財政状態を明らかにします。

③＿＿＿＿＿＿＿は，会計期間に発生した収益と費用を記載し，算出した利益を示したものです。

④＿＿＿＿利益＝売上総利益－販売費及び一般管理費

⑤＿＿＿＿利益＝営業利益＋営業外収益－営業外費用

⑥＿＿＿＿＿（％）＝当期純利益÷自己資本×100

⑦＿＿＿＿＿（％）＝利益÷投資額×100

⑧＿＿＿＿＿＿＿＿＿＿＿計算書は，会計期間における現金の流れを示したものです。営業活動・投資活動・財務活動で区分します。

⑨＿＿＿＿＿＿は，投資によって得られる利益を示す指標です。

答え	①財務諸表	②貸借対照表	③損益計算書
	④営業	⑤経常	⑥ROE
	⑦ROI	⑧キャッシュフロー	⑨NPV

🥨 その他

①＿＿＿＿＿＿＿は，資産の購入にかかった金額（取得価額）を，利用した年度ごとに減価償却費として計上していく方法です。資産の種別ごとに法定耐用年数が定められています。毎年同じ金額を計上する②＿＿＿＿法と，一定の割合の金額を計上する③＿＿＿＿法があります。

在庫評価の方法には，先に仕入れた商品から先に売れたとみなす④＿＿＿＿＿法，購入の都度計算する⑤＿＿＿＿＿＿法，期初在庫の評価額と仕入れた商品の合計をその総数量で割る⑥＿＿＿＿＿法があります。

答え	①減価償却　　②定額　　③定率　　④先入先出　　⑤移動平均 ⑥総平均

🐛 プチ問題

ある会社の固定費が150百万円，変動費率が60%。

・ 損益分岐点は何百万円？

損益分岐点＝①_____÷（1－②_____）＝③_____百万円

・ 利益50百万円が得られる売上高は何百万円？

利益＝売上高－（④_____）

売上高をaとおくと

50＝a－（⑤_____）＝a×⑥_____－⑦_____

a＝⑧_____百万円

答え	① 150	② 0.6	③ 375	④固定費＋変動費
	⑤ 150＋a×0.6	⑥ 0.4	⑦ 150	⑧ 500

 知っ得情報 ◀ 財務指標

会社の財政状態を知るために，以下のような財務指標を用います。

指　標	概　要	備　考
固定比率	自己資本に対する固定資産の割合 （過剰な設備投資をしていないか）	小さいほど安全性 が高い
ROE	自己資本に対する当期純利益の割合 （株主の投資が効率よく利益を生ん でいるか）	大きいほど収益性 が高い
ROA	総資本に対する当期純利益の割合 （資本を活用して効率よく稼いだか）	大きいほど収益性 が高い
流動比率	流動負債に対する流動資産の割合 （払うお金に対して現金化されるお 金がどれくらいか）	大きいほど安全性 が高い

確認問題 A ▸ 平成27年度秋期 問76　　正解率 ▸ 中

　キャッシュフローを改善する行為はどれか。

ア　受取手形の期日を長くして受け取る。
イ　売掛金を回収するまでの期間を短くする。
ウ　買掛金を支払うまでの期間を短くする。
エ　支払手形の期日を短くして支払う。

要点解説　キャッシュフローを改善するというのは，手元に現金ができるだけ多く，長く残るようにすることです。
　ア　受取手形の期日を長くすると，客先からの入金が遅くなります。
　イ　早く現金を受け取れるので，キャッシュフローが改善されます。
　ウ　買掛金を支払うまでの期間を短くすると，支払いを早くすることになります。
　エ　支払手形の期日を短くすると，支払いを早くすることになります。

解答

問題A：イ

知的財産権と
セキュリティ関連法規

🐗 知的財産権

　知的財産権は，文化的な創造物を保護する権利の①_____と，産業の発展を保護する権利の②_____とに大別できます。

　著作権は，著作物の利用について，著作者が独占排他的に支配して利益を受ける権利です。プログラム言語や③_____，プロトコルは著作権の保護対象外ですが，④_____は保護対象です。企業所属の人物が業務上作成した場合はその⑤_____に，他社に作成を委託した場合は⑥_____の企業に著作権があります。

　⑦_____は，データに別の情報を隠して埋め込むことです。⑧_____は，著作権情報などを埋め込んだものです。

　産業財産権には以下のものがあります。

⑨_____権	新しい高度な発明を保護
⑩_____権	物品の構造・形状の考案を保護
⑪_____権	物品のデザインを保護
⑫_____権	商品やサービスに使用するマークを保護

　⑬_____は，事業活動に有用な秘密として管理されている情報を保護する法律です。

答え	①著作権	②産業財産権	③アルゴリズム	④プログラム
	⑤企業	⑥委託先	⑦ステガノグラフィ	
	⑧電子透かし	⑨特許	⑩実用新案	
	⑪意匠	⑫商標	⑬不正競争防止法	

🌀 セキュリティ関連法規

　①_____は，日本のサイバーセキュリティに
関する施策の基本理念やセキュリティ戦略を定めた法律です。

　②_____は，ネットワークに接続され，アクセス制限
機能を持つコンピュータに対して，不正なアクセスを禁止する法律で
す。

　③_____は，個人情報を適切に取り扱うことを義務付ける
法律です。個人情報を扱う場合，④_____を本人に明確にするこ
となどが義務付けられています。

　⑤_____は，特定の個人が識別できないように匿名加工した
情報で，個人情報には当たらず，一定のルールの下で本人の同意を得
ることなく目的外利用や第三者提供が可能になっています。

　⑥_____は，インターネット上で誹謗中傷など
があった場合の削除申請窓口の設置や，調査専門員の配置を義務付け
た法律です。

　⑦_____に定められた⑧_____は，不正な指令を与える電
磁的記録（コンピュータウイルスなど）を作成・配布することが処罰の
対象です。

答え	①サイバーセキュリティ基本法	②不正アクセス禁止法
	③個人情報保護法	④利用目的
	⑤匿名加工情報	⑥情報流通プラットフォーム対処法
	⑦刑法	⑧ウイルス作成罪

11 ストラテジ系

労働・取引関連法規と標準化

労働・取引関連法規

①＿＿＿＿＿＿＿＿は，賃金や労働時間，休息，休暇など，労働者の労働条件の最低基準を定めた法律です。

②＿＿＿＿＿＿＿＿は，労働者や使用者が，対等の立場で労働条件について合意し，労働契約を締結することを定めたものです。

③＿＿＿＿＿＿＿＿は，実際の労働時間に関係なく，労使間であらかじめ取り決めた労働時間を働いたとみなす制度です。

④＿＿＿＿＿＿＿＿＿＿＿は，従業員一人あたりの勤務時間を短縮し，仕事配分を見直して，より多くの雇用を確保することです。

⑤＿＿＿＿＿＿＿＿＿＿＿は，仕事と生活の調和を実現するため，多様かつ柔軟な働き方を目指す考え方です。

⑥＿＿＿＿＿＿＿＿は，ICTを活用して，時間や場所の制約を受けない柔軟な働き方の一つです。

⑦＿＿＿＿＿＿＿＿＿は，労働者が，派遣元企業との⑧＿＿＿＿＿関係とは別に，派遣先企業の⑨＿＿＿＿＿＿を受ける契約です。

⑩＿＿＿＿＿契約は，請け負った仕事を期日までに完成させることを約束して，成果物に対して対価を支払う契約です。

⑪＿＿＿＿＿＿＿＿＿は，公益のために内部告発した労働者が，解雇などの不利益な扱いを受けないように保護する法律です。

製造物責任法（⑫＿＿＿＿＿＿）は，製造物の欠陥が原因で人的被害が生じた場合の損害賠償の責任について定めた法律です。

⑬＿＿＿＿＿＿＿＿は，トラブルが生じやすい取引において，消費者保護を目的として定めた法律です。

⑭＿＿＿＿＿＿＿＿＿＿契約は，購入者がパッケージを開封することで使用許諾契約に同意したものとみなします。

答え	①労働基準法	②労働契約法	③裁量労働制
	④ワークシェアリング	⑤ワークライフバランス	⑥テレワーク
	⑦労働者派遣契約	⑧雇用	⑨指揮命令
	⑩請負	⑪公益通報者保護法	⑫PL法
	⑬特定商取引法	⑭シュリンクラップ	

🌀 標準化

以下の国際規格があり，対応する①＿＿＿＿＿があります。

ISO9000シリーズ	②＿＿＿＿＿マネジメントシステム
ISO14000シリーズ	③＿＿＿＿＿マネジメントシステム
ISO/IEC④＿＿＿＿＿＿シリーズ	ITサービスマネジメントシステム
ISO/IEC⑤＿＿＿＿＿＿シリーズ	ISMS

⑥＿＿＿＿＿＿は電気工学と電子工学に関する学会で，IEEE802.3は⑦＿＿＿＿LANの，IEEE802.11は⑧＿＿＿＿LANの規格です。

⑨＿＿＿＿＿＿は，インターネット技術の標準化を行い，技術仕様をまとめた⑩＿＿＿＿＿を公開しています。

答え	① JIS	②品質	③環境	④ 20000	⑤ 27000	⑥ IEEE
	⑦有線	⑧無線	⑨ IETF	⑩ RFC		

😎 オペレーションズリサーチ

　オペレーションズリサーチは，①_____がある課題の最適解を数理的な手法で合理的に得るための問題解決の手法です。

　線形計画法は，「②_____で表現される制約条件の下にある資源を，どのように配分したら最大の効果が得られるか」という問題を解く手法です。

　③_____は，ノードと，そのつながりであるエッジで表された対象の性質を分析することです。

　④_____は，お互いの戦略が相手に影響する関係のある状況において，相手がどのような戦略を選択するか，またそれに対して自分にとって最善となる戦略は何なのかを分析する理論です。

　最悪の事態でも自分の利得が最大になるように行動することを⑤_____戦略といい，最良の事態になることを予想して行動することを⑥_____戦略といいます。

　また，お互いに非協力的な戦略を採るプレーヤーが，どのプレーヤーもこれ以上自らの戦略を変更する動機付けが働かない戦略の組合せを⑦_____といいます。

答え	①制約　　　　②1次式　　　　③グラフ理論　　　④ゲーム理論
	⑤マキシミン　⑥マキシマックス　⑦ナッシュ均衡

第 12 章

科目 B 対策

科目B対策問題

次のプログラム中の　 a 　,　 b 　に入れる正しい答えの組合せを,解答群の中から選べ。

長さm, nの文字列をそれぞれ格納した配列X, Yがある。配列Xに格納した文字列の後ろに,配列Yに格納した文字列を連結したものを,配列Zに格納する。ここで,配列の要素番号は1から始まり,1文字が一つの配列要素に格納されるものとする。

〔プログラム〕

○整数型の配列：X, Y, Z

　整数型：k, m, n

　for（kを1からmまで1ずつ増やす）

　　　 a

　endfor

　for（kを1からnまで1ずつ増やす）

　　　 b

　endfor

	a	b
ア	Z[k] ← X[k]	Z[m + k] ← Y[k]
イ	Z[k] ← X[k]	Z[n + k] ← Y[k]
ウ	Z[k] ← Y[k]	Z[m + k] ← X[k]
エ	Z[k] ← Y[k]	Z[n + k] ← X[k]

要点解説　配列Xに格納した文字列の後ろに,配列Yに格納した文字列を連結し,配列Zに格納します。

どちらのfor文もkを1ずつ増やし,配列の1番目の要素から処理しています。

一つ目のforループが終わったとき,配列Zは,配列Xの要素数である要素番号mまで格納済みです。

二つ目のforループの1回目のループでは,配列Zの要素番号m+1の位置に,配列Yの1番目の要素が格納されます。kをnまで1ずつ増やしていくので,Y[k]がZ[m + k]の位置に格納されます。アが該当します。

確認問題　B ▶ 平成23年度春期　午前　問7改

　1から100までの整数の総和を求め，結果を変数xに代入するプログラムであるが，一部に誤りがある。どのように訂正すればよいか。

〔プログラム〕
○整数型：x，i
　x ← 1　　　　　　　//①
　i ← 1
　while（iが100以下）//②
　　x ← x + i　　　//③
　　i ← i + 1　　　//④
　endwhile

ア　①の処理を "x ← 0" にする。
イ　②の条件判定を100未満にする。
ウ　③の処理を "i ← x + i" にする。
エ　④の処理を "x ← x + 1" にする。

要点解説 順にトレースしてみます。

	x	i
初期値	1	1
1回目の③・④	2	2
2回目の③・④	4	3
3回目の③・④	7	4

xは1＋2＋3…なので，途中では1，3，6，…となっていくはずですが，そうなっておらず，2，4，7…となっていて，想定より1ずつ多くなっています。
これは変数xの初期値を1としてしまったことが原因です。変数xの初期値は，0にする必要があります。
アが該当します。

次のプログラムで，終了時のxに格納されているものはどれか。ここで，与えられたa，bは正の整数であり，mod(x, y)はxをyで割った余りを返す。

〔プログラム〕
○整数型：t, x, y

```
x ← a
y ← b
while (yが0ではない)
  t ← mod(x ,y)
  x ← y
  y ← t
endwhile
```

ア　aとbの最小公倍数　　　　　　イ　aとbの最大公約数
ウ　aとbの小さい方に最も近い素数　エ　aをbで割った商

要点解説 具体的な値を当てはめて考えてみます。解答群には最小公倍数や最大公約数，商などがあり，またmodで割っていくことから，少し大きめで，最大公約数が1以外になりそうな数の想定がよさそうです。ここではaを18，bを12としてトレースしてみます。

	x	y	t
初期値	18	12	
1回目のループ	12	6	6
2回目のループ	6	0	0

xは6となりました。これは18と12の最大公約数です。

確認問題　D ▶平成27年度秋期　　　　　午前　問6改

　配列Aが図1の状態のとき，プログラムを実行すると，配列Bが図2の状態になった。プログラムの　 a 　に入れるべき操作はどれか。ここで，配列A，Bの要素をそれぞれA[i, j]，B[i, j]とする。

〔プログラム〕
○文字型の配列：A ,B
　整数型：i, j
　for（iを0から7まで1ずつ増やす）
　　for（jを0から7まで1ずつ増やす）
　　　　 a
　　endfor
　endfor

図1　配列Aの状態

図2　実行後の配列Bの状態

ア　A[i, j] → B[7−i, 7−j]　　　イ　A[i, j] → B[7−j, i]
ウ　A[i, j] → B[i, 7−j]　　　　　エ　A[i, j] → B[j, 7−i]

要点解説
配列の特徴的な要素に注目してみます。
図を回転させる前のFの字の上の棒の右端は，A[0, 6]です。
これが回転後は，B[6, 7]に移動しています。
A[0, 6]→B[6, 7]となっていることがわかります。
A[i, j]→B[j, 7−i]が該当します。

解答

問題A：ア　　　問題B：ア　　　問題C：イ　　　問題D：エ

12
科目B対策

●監修者紹介

栢木 厚（かやのき　あつし）

IT企業のSEなどに従事した後，現在は高等学校の情報の教員免許を取得して，複数の高等学校において情報の授業・共通テスト対策の夏期講習を担当。さらには，高校生・社会人向けのIT国家試験対策の講師経験を活かし，執筆活動にあたる。

モットーは，「誰もがやっていない切り口から，"面白おかしく斬新に！"」

●装丁　　平塚兼右（PiDEZA）

●カバー・本文イラスト
　　　　　石川ともこ

●本文デザイン
　　　　　平塚兼右（PiDEZA），（有）フジタ

●本文レイアウト
　　　　　（有）フジタ

●編集　　藤澤奈緒美

令和07年
かやのき先生の基本情報技術者教室準拠
書き込み式ドリル

2010年　7月15日　初　　版　第1刷発行
2024年　12月　7日　第16版　第1刷発行

監修者　栢木　厚
発行者　片岡　巌
発行所　株式会社技術評論社
　　　　東京都新宿区市谷左内町21-13
電　話　03-3513-6150　販売促進部
　　　　03-3513-6166　書籍編集部
印刷/製本　昭和情報プロセス株式会社

定価はカバーに表示してあります。

本書の一部または全部を著作権法の定める範囲を超え，無断で複写，複製，転載，テープ化，ファイルに落とすことを禁じます。

©2024　技術評論社

造本には細心の注意を払っておりますが，万一，乱丁（ページの乱れ）や落丁（ページの抜け）がございましたら，小社販売促進部までお送り下さい。送料小社負担にてお取替えいたします。

ISBN978-4-297-14537-8　C3055
Printed in Japan

■注意

　本書に関するご質問は，書面やFAXでお願いいたします。電話での直接のお問い合わせには一切お答えできませんので，あらかじめご了承下さい。また，以下に示す弊社のWebサイトでも質問用フォームを用意しておりますのでご利用下さい。

　ご質問の際には，書籍名と質問される該当ページ，返信先を明記してください。e-mailをお使いになれる方は，メールアドレスの併記をお願いいたします。

■連絡先
〒162-0846
東京都新宿区市谷左内町21-13
（株）技術評論社　書籍編集部
「令和07年　かやのき先生の基本情報技術者
教室準拠　書き込み式ドリル」係
FAX　　　：03-3513-6183
Webサイト：https://gihyo.jp/book